まえがき

　一般社団法人日本書籍出版協会では、2003 年
けのテキストとして『出版営業入門』の
に改定版を、2015 年に第 3 版を発行し、
とになりました。

　当協会では現在、出版社の新入社員向けの　　ィストとして

　　新入社員のためのテキスト 1 『本づくり』

　　新入社員のためのテキスト 2 『出版営業入門』(本書)

　　新入社員のためのテキスト 3 『出版社の日常用語集』

の 3 冊を発行しております。

　出版業界では、業界を挙げて流通改善・インフラ整備に取り組んでい
る最中ですが、営業の基礎を知り、今後の販売活動の手がかりとしてこ
の『出版営業入門』が役立つことを願っております。

　また、日常業務の中で担当外のことは疎遠になりがちですが、3 冊を
通読することにより、他の部署の仕事についても知識を持っていただけ
れば幸いです。

　なお、『出版営業入門』は、当協会の新入社員研修会において、10 年
にわたり出版営業の講師を務め、当協会前専務理事でもある中町英樹氏
の執筆によるものです。中町氏のご協力に深く感謝申しあげます。

2021 年 (令和3年) 3 月
一般社団法人 日本書籍出版協会
研修事業委員会

目次

まえがき……………………………………………………………1

はじめに　－出版営業とは何か－……………………………4

Ⅰ. 本の現在……………………………………………………8

1. 出版業界を取り巻く環境の変化…………………………8
(1) 販売金額の規模…………………………………………8
(2) 読者のライフスタイルの変化………………………12
(3) 書店の競合新業態の出現……………………………13
(4) 公共図書館の活況……………………………………14

2. 出版業界の構造的な問題…………………………………17
(1) 出版点数の増加………………………………………17
(2) プロダクトアウト思考の限界………………………19
(3) 流通制度の疲労………………………………………20
(4) 販売ルートの硬直化…………………………………23
(5) 流通改善への取り組み………………………………26

Ⅱ. 本を売る……………………………………………………31

1. 出版業の産業分類…………………………………………31

2. 製造物としての本…………………………………………32
(1) 価格の構成……………………………………………32
(2) 定価表示………………………………………………34
(3) コード管理……………………………………………36

3. 出版物流通ルート…………………………………………38
(1) 取次・書店ルート……………………………………38
(2) 直接取引ルート………………………………………38
(3) 教科書ルート…………………………………………38
(4) コンビニエンス・ストア（ＣＶＳ）ルート………38
(5) 生協ルート……………………………………………39
(6) 直接販売………………………………………………39
(7) その他取次経由………………………………………39

4. 取次・書店ルート…………………………………………41
(1) 本の流通過程…………………………………………41

(2) 取次会社の機能……………………………………………42
(3) 流通取引条件……………………………………………48
5. 出版社のマーケティング……………………………………56
(1) 初版部数の決定……………………………………………56
(2) 配本………………………………………………………57
(3) 発売後売行き調査…………………………………………59
(4) 増刷（重版）………………………………………………59
(5) 広告・パブリシティ計画…………………………………63
6. 出版社の販売促進活動………………………………………65
書店販売促進……………………………………………………65

Ⅲ．これからの出版営業…………………………………………69
1. 編集優位のプロダクトアウト方式からの脱皮……………69
編集・営業の一体化……………………………………………69
2. 著者と読者を見据えた営業…………………………………71
(1) 著者の思い、作品の熱を伝える営業……………………71
(2) 読者のニーズに基づく営業………………………………72
(3) 読者を発掘する4つの戦略………………………………72
3. データに基づく営業…………………………………………75
(1) 顔と経験による営業からの脱皮…………………………75
(2) セールス重視からマーケティング重視へ………………75
4. コンサルティング営業………………………………………78
(1) 得意先の問題を解決する営業……………………………78
(2)「だれに」「なにを」「どのように」……………………79
5. 売上重視から利益重視へ……………………………………80
(1) 売上げだけを追求する時代は終わった…………………80
(2) 出版会計への理解…………………………………………81
6. 情報化戦略の推進……………………………………………82
(1) 営業管理の情報化…………………………………………82
(2) 流通管理の情報化…………………………………………82
7. 情報技術が変える出版………………………………………84
(1) 情報内容の適時、適量提供体制の構築…………………85
(2) コンテンツ価値最大化への対応…………………………86

はじめに　—出版営業とは何か—

　日本の出版業界は、かつて経験したことのない厳しい時代を迎えています。まるで出口の見えない迷路に入りこんでしまった感じさえあります。

　出版物販売金額の長期減少、読書形態の多様化、新しいサービスを提供する小売店の出現など、出版業界の低迷を裏付ける理由は、いくらでも挙げることができます。

　出版社の倒産や書店の休業・廃業などが日常化している現実を前に、「このまま出版産業は衰退に向かってしまうのではないか」と危惧する業界人がいても不思議はないでしょう。

　しかし、業界全体が低調だからといって、全ての出版社が不況にあえいでいるわけではありません。

　業界の低迷を尻目に、好調に出版活動を展開している出版社もあります。そのような会社は、総じて出版業界に新しく参入してきた、比較的歴史の浅いところが多く、業界に基盤を持たない分だけ、斬新な企画や販売方法によって業界を活性化させています。"厳しい"と言われる時代でも、知恵とチャレンジ精神の発揮によって、いくらでもチャンスがつかめることを現実は物語っています。

　新しく出版業界に入られる皆さんには、旧来の発想や慣習にとらわれない新しい試みや行動を望みます。

　皆さんが入社された会社の目的は何でしょうか。

　企業＝会社の目的は、一言で言えば「継続」することです。私たちがいくら良い本を出し、社会に貢献し文化財としての出版物を広く普及させようと思っていても、企業である出版社が継続していかなくては、その理想も絵に描いた餅に終わってしまいます。

　企業の「継続」を現実的に保障していくのは、会社の「資金繰り」で

あり「利益」であり「後継者」です。その中でも、「資金繰り」や「利益」を確保していくことは、会社を経営していく上での必須事項です。

そのための大きな役割を果たしているのが、出版社における営業部門です。

営業部門は出版物という財を、お金に換えていく役目を担っています。出版物から最大の価値を引き出すために、その誕生から流通、販売、宣伝、代金回収、在庫管理にいたるまで、深く関わっていかなければなりません。

出版物が読者にとって価値あるものになるのか、行き場を失い、ただ自社に滞留するだけの在庫品になるのかは、営業の良し悪しで決まると言っても過言ではありません。

営業は本と読者の出合いを演出する重要な役割を担っています。なぜなら出合いがあって読者は初めて本の選択ができるからです。出合いを通して、読者の中に眠っていた読書への興味を引き出すことができるのです。

理想的にはその本を必要としている人、興味を抱きそうな人に個別に情報を届け、選択の機会が提供されることが望ましいわけですが、現実的にはそのような出合いの場を完璧に提供できる例は限られています。

私たちは基本的に、読者の「最大多数の最大幸福」を実現するために適切な販売ルートを選び、多数の読者との出合いを実現していくことに努力をする一方で、その本を必要としているであろうと想定される読者層や、読者数を新しく探し出し、その読者に対する適確なアプローチを行っていかなければなりません。

ここで皆さんにひとつ質問をします。

私たち出版社で働く者の給料や日々使用する器具備品、建物の家賃、コストと呼ばれる編集費用、販売費用などは、一体だれが負担していると思いますか？その出版社の経営者でしょうか。それとも、従業員が毎日汗を流して稼いだお金で負担しているのでしょうか。どうでしょう。

残念ながらいずれでもありません。会社を維持していくために掛かる費用＝コストのほとんどすべては、読者が負担しているのです。

　読者がその出版社の出版物に価値を認め、対価を払わない限り、私たちは会社の建物からパソコン、鉛筆、消しゴムの類いにいたるまで、なにひとつとして自分で調達できず、私たちに給料が払われることもありません。

　逆説的に言えば、読者がコストを負担することを止めれば、その出版社は潰れます。企業の目的は「継続」することだと言いました。その基本は「資金繰り」であり「利益」であるとも言いました。

　でもその前に、読者がその出版社の出版物を購入してくれなければ話になりません。購入してもらうための仕組みを作ること、それが営業の仕事であるとも言えます。

　従来、出版社の営業は社内でできあがった出版物を販売する仕事、と考えられてきました。しかし、モノや情報があふれている現在、できあがったものを単に売るということだけでは、営業活動が行き詰まってしまう時代になりました。

　出版社の営業に従事する者は、読者のニーズを調査し、それに基づく本の企画編集へのフィードバックを行い、適切な宣伝・パブリシティ活動を考え、流通ルートの探索・折衝、得意先・読者への販売の働きかけ、販売調査、効果測定、物流管理、代金回収の方法の適正化など、多岐にわたる分野に関わっていかなくてはなりません。

　それは自社を取り巻く環境や市場（読者の様々な欲求が渦巻いているマーケット）に対して、適切な対応をしていく活動という意味で、マーケティングなどと呼ばれています。

　新しく出版業界に入られる皆さんには、営業の範囲を狭くとらえることなく、広い視野から市場に対する適切な対応＝マーケティングとして、営業を考えていただきたいと思っています。

　このテキストは新しく出版業界に入られ、営業に携わる方を念頭において、実際の営業活動を行っていくための道しるべになるように作成しました。

　第Ⅰ章の「本の現在」では、出版業界を取り巻く環境が、どのような状況にあるのかを明らかにし、業界が抱えるいくつかの問題点を指摘しています。

　第Ⅱ章の「本を売る」では、日常の営業活動で必要な基本的な実務事項を解説しています。

　第Ⅲ章の「これからの出版営業」では、今後ますます変化していくであろう出版市場や読者に対して、私たちは「なにを」考えて「どのように」対応していけば良いのか、そのポイントを列記しました。

　このテキストに書かれていることは、あくまでも基本事項です。今後皆さんは、実際の営業活動を通して、新しい発見や疑問、様々な課題と遭遇することでしょう。
　それらの課題に、新しい時代の新しい出版営業という視点から、前例にとらわれることなく果敢にチャレンジしていただきたいと思います。その一助として、このテキストが多少でも役に立てば幸いです。
　閉塞状況にある出版業界が皆さんの新しい息吹によって打開され、さらに発展していくことを期待しています。

Ⅰ. 本の現在

1. 出版業界を取り巻く環境の変化

(1) 販売金額の規模

　出版物の推定販売金額は、1996年をピークに下がり続けています（出版科学研究所調べ。図表Ⅰ－1）（P.10）。この金額は取次会社（卸売業）から小売店を経由して販売された額であり、出版社が直接読者に販売したり、他の独自のルートによって販売した出版物の金額は含まれていません。したがって出版業界全体では、もう少し大きな金額になると推定されます。

　この取次会社、小売店経由で販売されている金額は、日本の上場大企業一社の売上げ程度です（2021年1兆2,080億円）。出版業界はそれを3,000社とも言われる出版社で分かち合いながら、共存している零細な産業なのです。

　しかし、その小さな産業である出版は言論、報道面で社会に大きな影響力を持ち、一国の文化を支えている立場にあります。このため国は歴史的に税制や制度面において、他産業とは違った保護政策を敷いてきたのです。

　「出版は不況に強い」と言われ続けてきました。景気に左右されず、安定した産業のように見られていました。その「不況に強い」はずの出版業界が、ここ何年にもわたって出版物販売金額で前年を下回り続けています。出版神話が崩れたかのように言われています。本当に出版業界は不況に強い業種だったのでしょうか。

　統計を分析してみると、つい最近まで、出版業界は景気の動向に左右されてきたと言えます。日本経済の成長率を示す国内総生産（GDP）の指標と出版物の販売金額の推移を比較してみると、同じようなトレンドをたどっているように見えます（図表Ⅰ－2）（P.10）。

　出版物の販売金額は1996年以降、マイナス成長の年が多かったので

違っているように感じますが、出版物販売金額の折れ線グラフを国内総生産のグラフに合わせてみると、2006 年ぐらいまでは 1 年遅れ程度でおおよそのトレンドが相似形を描いています。

消費者は出版物をお小遣い程度で購入できる品物だと考えています。景気の後退から回復局面に向かうと、消費者はまず、今まで欲しくても手が出せなかった高額な耐久消費財の購入に走り、出版物などお小遣い程度で買える品物は後回しにしようとする行動に出ます。

再び景気の下降局面に入っても、逆にその時点では最後の購入対象としての出版物までマイナスの影響は及ばず、若干のタイムラグの後、手控えられるようになります。つまり国内総生産（GDP）と出版販売金額との間には、若干のズレが発生するために「出版は不況に強い」という神話を生むことになった、と推測されます。

しかし、1996 年をピークに出版物販売金額は減り続けており、前年比でプラスになった年があるもののダウントレンドは変わっていません。景気の動向がプラスになってきても出版物に消費の恩恵が来ることがなくなっています。

日本経済は、2008 年秋に起きたリーマンショックの影響でその年の国内総生産は前年比を大幅に下回りましたが、2009 年から 2010 年にかけて回復し、その後も 2018 年までは微増が続いていました。

その一方で出版物販売金額の回復は水面下のままで、マイナス幅が若干改善された程度です。出版業は、まさに不況業種の様相を呈しています。

2020 年は新型ウイルス流行の影響により、国内総生産は大幅に減少しましたが、巣ごもり需要などから出版物の販売額は、2020 年は減少幅の縮小、2021 年は書籍が対前年比増と改善を見せました。

しかし、出版物の販売が日本経済の動向に関係なく 20 年以上減少を続けている現状は、消費者・読者を取り巻く環境に変化が生じており、その変化に出版業界が対応できていない業界の構造自身に問題が生じているためではないかと推察することができます。

図表Ⅰ－Ⅰ 出版物推定販売金額推移

年	書籍億円	前年比 %	返品率 %	雑誌億円	前年比 %	返品率 %	合計億円	前年比 %
1996	10,931	4.4	36.1	15,633	1.3	27.1	26,564	2.6
1997	10,730	-1.8	39.3	15,644	0.1	29.5	26,374	-0.7
2015	7,420	-1.7	37.2	7,801	-8.4	41.8	15,220	-5.3
2016	7,370	-0.7	36.9	7,339	-5.9	41.4	14,709	-3.4
2017	7,152	-3.0	36.7	6,548	-10.8	43.7	13,701	-6.9
2018	6,991	-2.3	36.3	5,930	-9.4	43.7	12,921	-5.7
2019	6,723	-3.8	35.7	5,637	-4.9	42.9	12,360	-4.3
2020	6,661	-0.9	33.0	5,576	-1.1	40.0	12,237	-1.0
2021	6,804	2.1	32.5	5,276	-5.4	41.2	12,080	-1.3
2022	6,497	-4.5	32.6	4,795	-9.1	41.2	11,292	-6.5
2023	6,194	-4.7	33.4	4,418	-7.9	42.5	10,612	-6.0

『出版指標年報』、『出版指標』（出版科学研究所）。推定販売金額は推定販売部数を本体価格で換算した金額。消費税は含まず。算出方法は、取次出荷額－小売店からの返品額＝販売額。返品率は金額返品率。1996 年は書籍の推定販売金額過去最高値、1997 年は雑誌の推定販売金額の過去最高値。

図表Ⅰ－2 実質 GDP と出版物推定販売金額の前年度比増加率推移

年	GDP 増加率	出版物販売金額増加率	年	GDP 増加率	出版物販売金額増加率
1996	3.1%	2.6%	2016	0.8%	-3.4%
1997	1.0%	-0.7%	2017	1.7%	-6.9%
2010	4.1%	-3.1%	2018	0.6%	-5.7%
2011	0%	-3.8%	2019	-0.2%	-4.3%
2012	1.4%	-3.6%	2020	-4.5%	-1.0%
2013	2.0%	-3.3%	2021	1.6%	-1.3%
2014	0.3%	-4.5%	2022	1.0%	-6.5%
2015	1.6%	-5.3%	2023	1.9%	-6.0%

実質 GDP（＝国内総生産）の増加率は、内閣府『国民経済計算（GDP 統計）』の年次 GDP 成長率（暦年）。出版物販売金額増加率は 『出版指標年報』、『出版指標』（出版科学研究所）。1996 年は書籍の推定販売金額最高値、1997 年は雑誌の推定販売金額の最高値。

図表Ⅰ－3 実質 GDP と出版物推定販売金額の推移グラフ

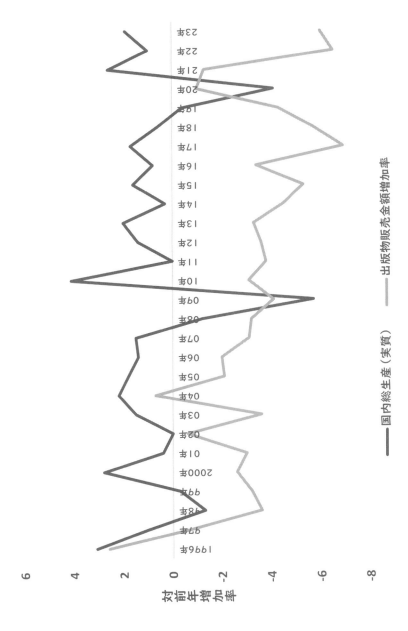

（2）読者のライフスタイルの変化

　本の持つ魅力は、新しい知識の習得、知恵の発見など、未知との遭遇体験にあります。昔から読書は自分1人のための時間であり、自分の知らない世界を垣間見る、贅沢で貴重な時間と考えられてきました。

　本を読むという行為を、ちょっと見方を変えて、消費時間という点から考えてみるとどうなるでしょうか。1日24時間というだれにでも公平に与えられた時間の中で、読書のために費やしている時間内に、私たちは原則として他のことをすることはできません。その時間は、読書のために消費されている時間ととらえることができます。

　もし仮にあなたにとって、読書よりも魅力的だと思われる娯楽が出現したとしたらどうしますか。1日24時間をどのように配分するでしょうか。読書の時間を残して、他の時間を削りますか？それとも読書の時間を削って、魅力的な娯楽のために時間を使いますか？

　近年、パソコンやスマートフォンの普及が人々から読書の時間を奪い、結果として活字離れを引き起こしているのではないか、という見方が台頭しています。その一方でメールやインターネット、SNSの利用によって、以前よりも人々の活字接触率が逆に増加しているという調査結果も出ています。概観すると、読書という時間が、これら電子機器やそれを媒介にしたSNSやゲームに費やす時間に徐々に侵食されていることは、間違いないようです。

　また、様々なモノやサービス、娯楽にあふれる現代社会では、読書時間は常に他の魅力的に映る娯楽や趣味の時間との間で、24時間を巡って激しい争奪戦を繰り広げていると見ることができます。

　出版業界では、読書の楽しさを知ってもらおうと、全国の小・中・高校での「朝の10分間読書」や書店で児童を対象にした「本の読み聞かせ」など、様々な読書推進運動に取り組んでいます。

　読書は小さい頃からの習慣によって身につく側面があります。これらの読書推進運動が相互に連携し、大きなうねりとなって、読書の復権につながることを出版業界に身を置く者の1人として筆者も強く願ってい

ます。そのことに加えて、私たち出版人自らがまず本を読む時間を確保し、読書の素晴らしさを多くの人と分かち合っていくことが、活字離れを克服するスタートになるのではないかとも思っています。

(3) 書店の競合新業態の出現

「本は本屋さんで買いましょう」。何をいまさら当たり前のことを言っているのか、と思われるかもしれません。その当たり前だと思われていることに、異変が起きています。

皆さんの中で新古書店と呼ばれるリサイクル型の書店で、過去に本を売ったり、買ったりした方はどのくらいいるでしょうか。あるいはマンガ喫茶、ネットカフェ、レンタルコミックなど、本や雑誌のレンタル型ショップを利用したことはありませんか。

新業態（業態とは「事業形態」「営業形態」の略称）である新古書店は、読者から読み終わった本を定価の１割程度で買い取り、必要とするお客さんに定価の半額程度で販売するという、本をリサイクルすることによって成り立っている書店です。新刊書店の繁栄があって、初めて成り立つビジネスです。

新古書店は経済不況の中で、可処分所得の減っている読者に歓迎された面もありました。その後、全国に急速な勢いで展開されましたが、新刊書籍の売上げの低迷、電子書籍の流通によって買い取りが減少し、業績が一時悪化しました。しかし、近年は本以外の様々な商品のリユース品を扱ったり、EC取引きにも注力しています。

一定の読者、消費者には支持されているこれら新業態店ですが、出版業界からは問題視する声もあります。リサイクル型書店やレンタル型ショップの出店によって、既存の街の書店の売上げに影響が出ると考えられているからです。

また、通常出版社は、新刊を発行するにあたり、著者に対して著作権使用料（通常、印税という名前で呼ばれています）を支払い、著者から独占的にその著作を複製・発行することの許諾を得ます。

その著作権使用料を含めて出版社は本の定価を決定し、再販売価格維

持契約（出版社が小売価格を拘束することを認める「著作物再販制度」に基づいて結ばれる契約）を結んだ取次会社、書店にその本を流通させています。定価で販売することによって出版社は著作権使用料を回収でき、著者は発行部数や販売部数に応じた収入が確保できるわけです。

しかし、リサイクル型書店について言えば著作権使用料が著者や出版社に還流されないため、「著作権のただ乗り」との批判が出ています。

本来販売されることによってもたらされる収入がなければ、出版社の経営にとっても、著者にとっても死活問題になり、出版社も著者を育てていくことができなくなるからです。

レンタルブックについては、出版物に対する貸与権の適用除外を定めた著作権法附則条項が廃止されたことに伴い、2004年に設立された出版物貸与権管理センターが、著作権者から貸与権の委託を受け、レンタルブック店から使用料の徴収と著作権者への分配の業務を行っています。

近年、新刊の書籍販売だけでは書店の経営が厳しい中、別の業態を導入したり、併設する書店も増えています。本屋とカフェが合体したブックカフェはその代表的なものです。カフェに自由に閲覧できる本を置いた小規模なものから、2～3万点の書籍を購入できる大規模なものもあります。

また、セレクトショップのような個性的な書籍のラインナップや、文房具・雑貨・食器などの販売、イベントの開催など、それぞれの店の個性を生かし、新たな本との出合いの場所となっています。

(4) 公共図書館の活況

出版物の販売額が減少する一方で、公共図書館の蔵書貸し出し冊数は伸びています（**図表Ⅰ－4**）（P.16）。2021年の個人貸し出し冊数は、約5億5千万点であり、書籍推定販売部数約5億3千万冊と比較しても無視のできない数字となっています。貸し出しと書籍の売上げの関係については、調査や研究論文も出され、出版社と図書館の間で議論となっています。

　まず、公共図書館の役割の変化、という点について考えましょう。

　昔、図書館といえば自分が調べたい、勉強したい内容について参考となる図書を探すために行き、そこで目当ての図書を閲覧し、目的を果たせばその場でまた返却するというのが一般的な利用の仕方でした。

　その後、このスタイルでは公共の図書館を利用できる人が限られるということから、公共図書館側に「市民の図書館運動」の機運が生まれ、市民のリクエストに応える「貸し出し」に力を注ぎ始めました。

　特に1990年代に入るとベストセラー本を積極的に揃え始め、ひとつのタイトルを複数揃える複本化が進みました。その結果、現在では市民が公共図書館からベストセラー本の貸し出しを求めて順番待ちをしている風景は、珍しいことではなくなりました。

　市民の求める本を揃えていくことが公共図書館の役割のひとつである、という観点からベストセラーの複本購入が行われているわけですが、その点について出版関係者と図書館関係者の間で論議が交わされています。

　その一方で、公共図書館がベストセラー本や話題の本を揃え、充実させていけば、本来、蔵書してほしい基本図書や専門書の構成に影響が出てしまいます。この点を巡っても図書館関係者と出版関係者の間で議論が継続されています。

　また、作家にとっては、本来自分の本が売れて得られるはずの著作権使用料が公共図書館の貸し出しの増加によって、減少することが起こりえます。

　現在、諸外国にも例が見られる「公共図書館からの貸し出しに応じて著作権者に補償金を支払う制度」である公共貸出権（略称：公貸権）の導入を巡って、作家や出版社、図書館から意見も出ています。

図表Ⅰ－4　公共図書館の貸出冊数推移

年	公共図書館数（館）	個人貸出冊数（千点）
1986	1,694	228,727
1996	2,363	412,604
2006	3,082	618,264
2007	3,111	640,860
2008	3,126	656,563
2009	3,164	691,684
2010	3,188	711,715
2011	3,210	716,181
2012	3,234	714,971
2013	3,248	711,494
2014	3,246	695,277
2015	3,261	690,480
2016	3,280	703,517
2017	3,292	691,471
2018	3,296	685,166
2019	3,306	684,215
2020	3,310	653,449
2021	3,316	545,343
2022	3,305	623,939
2023	3,310	632,676

『日本の図書館　統計と名簿』(日本図書館協会)と日本図書館協会 HP の統計より各年データを抜粋して作成。
1986 年、1996 年は、公共図書館数、貸出冊数が増える前の参考として表に入れた。

２．出版業界の構造的な問題

(1) 出版点数の増加

　日本の年間新刊書籍発行点数は約７万点です（**図表Ⅰ−5**）（P.18）。７万点のうち取次会社経由で、書店に配本される書籍の割合は75％ぐらいではないかと推定されています。その他は注文対応のみの一部の学術書、自費出版物、大活字本などです。

　仮に5万点が取次会社、書店を通して流通すると考えれば、日曜日を除く毎日、大きな書店には約160点の新刊が送りこまれている計算になります。この数字をどのように見たらいいのでしょう。一概に旺盛な出版活動の現れだと喜んでばかりはいられません。

　出版物の販売金額が減少する中で、出版社はなんとか売上げを確保しようと、従来にも増して新刊点数を増やし、減少する分を取り戻そうとしているのです。それが新刊発行点数の増加につながっています。

　その結果、書店店頭は、毎日送りこまれてくる新刊であふれ、限られた売場スペースの中で全ての新刊を並べることができないため、販売期間は短縮され、本の早期返品につながっています。

　基本的には、毎日入荷してくる新刊に対応した分だけ販売するか返品をしなければ、書店にとっては在庫が増えて、資金繰りや利益に影響が出てくることになります。

　このような事情もあって返品率は30％を超えています。出版社としては1点当りの発行部数を少なくして、効率販売に努めようとしていますが、部数を絞った分の減収を補おうと、また次の新刊を発行しようとするため、悪循環に陥っています。

　昔はこのような出版行動を取りながら「新刊で一発当てる」ことを期待したり、景気の回復を待っていたのですが、先行きに明るさが見えない現状では、それも限界にきています。

　他社との競争政策上、定価も抑制しなければならず、出版社は利益確保のために様々なコストの削減を試みる一方で、安易な出版企画を見直

図表Ⅰ-5 書籍の新刊点数、出回り、平均価格、返品率の推移

年	書籍新刊点数	書籍出回り部数（万冊）	平均価格（円）	返品率（%）
2004	74,587	123,200	1,209	36.7%
2005	76,528	125,713	1,194	38.7%
2006	77,722	128,324	1,176	38.2%
2007	77,417	131,805	1,131	39.4%
2008	76,322	131,756	1,125	40.1%
2009	78,555	127,386	1,123	40.6%
2010	74,714	121,390	1,110	39.0%
2011	75,810	117,600	1,118	37.6%
2012	78,349	115,883	1,112	37.8%
2013	77,910	113,458	1,103	37.3%
2014	76,465	108,398	1,116	37.6%
2015	76,445	104,766	1,128	37.2%
2016	75,039	102,605	1,138	36.9%
2017	73,057	97,888	1,153	36.7%
2018	71,661	94,222	1,164	36.3%
2019	71,903	88,483	1,182	35.7%
2020	68,608	82,995	1,198	33.0%
2021	69,052	81,382	1,238	32.5%
2022	66,885	76,738	1,256	32.6%
2023	64,905	72,449	1,285	33.4%

『出版指標年報』、『出版指標』（出版科学研究所）。書籍出回り部数は、新刊・重版・注文品の流通総量で、返品の活用により再出荷分も含む。したがって、実際の生産量はこの出回り量の7割程度と推定される。平均価格は出回り基準（既刊を含む、消費税別）、返品率は金額基準による。

す必要に迫られています。

(2) プロダクトアウト思考の限界

　7万点の出版物が発行されるのは、読者のニーズを吸い上げた結果というよりも、メーカーである出版社の都合による、一方通行的なものだと言えるでしょう。

　このように作り手の発想によって制作・生産された製品を市場に送り込むことを、プロダクトアウトと呼びます。数ある業種の中で、プロダクトアウト思考の最も強い業界のひとつが出版業界です。

　「いい本は売れる。売れないのは営業が悪い」といった編集者の思い込みによる企画、読者のニーズとは関係なしに出版社の都合で発行する企画など、結果として返品の山を築いた本は、皆さんの会社にもゴロゴロ転がっているのではないでしょうか。

　モノがあり余り、供給過剰の市場では、購買の主導権は需要側つまり買い手が握ります。選ぶのは読者だということです。出せば何とか売れるだろうという甘い考えは、いまや幻想です。他業界では既に *SCM（サプライ・チェーン・マネジメント）や *CRM（カスタマー・リレーションシップ・マネジメント）、*SPA（製造小売業）といった、消費者や得意先のニーズや欲求に応じたモノ作りを実現するためのシステムを、構築しつつあります。

　消費者＝市場の声を取り入れ、それを生産の現場に生かそうとする発想を、マーケットイン思考と呼びます。

　出版の世界でもヒットを飛ばす編集者は、マーケットイン思考に優れた人が多いようです。「いまの時代、読者はなにを考え、欲しがっているのか」ということを常に気に留め、外部との接点を持ち、営業現場の情報を活用しています。

　いまや編集者は本を作る人、営業は本を売る人、という昔からの分業に基づいた出版活動では、読者に追いつけなくなっています。編集、営業の垣根を取り払い、風通しを良くして、一緒になって読者のニーズに基づいた本作りに励む組織が、これからの時代に生き残っていく出版社

の条件になると思います。

* **SCM**（Supply Chain Management）＝企業が取引先との間の資材調達や受発注、物流、在庫管理など情報技術（IT）を活用して一貫管理する経営手法。

* **CRM**（Customer Relationship Management）＝企業が顧客との関係を強化して、商品やサービスを継続して購入してもらう経営手法。

* **SPA**（Speciality retailer of Private label Apparel）衣料品の製造小売業のこと。固有のコンセプトに基づいて商品開発し、商品の生産、物流、販売活動、販売促進などを一貫して自社で管理するビジネス。より市場動向に即応した商品供給と、流通経路の短縮による高い収益性が特徴。（『経済新語辞典』日本経済新聞社編　日本経済新聞出版社）

（3）流通制度の疲労
α. 著作物再販制度

　日本の出版流通は、再販制度と委託制度に支えられて発展してきました。

　再販制度とは、再販売価格維持制度の略称で、メーカーである出版社が出版物の小売価格（定価）を決め、書店（販売業者）で定価販売ができる制度です。

　独占禁止法では、メーカーが小売価格を拘束することを禁じています。ただ日本では出版物などの著作物（書籍・雑誌、新聞およびレコード盤・音楽用テープ、音楽用CDの6品目）については、独占禁止法の適用除外品目として、再販制度が認められてきました。

　これは著作物が日本の文化振興・普及の上で欠かせないものであり、再販制度によって保護することが、読者や著作者の利益につながるという点から維持されてきたためです。

　零細出版社の多い私たちの業界にとって、多品種少量生産を可能にする根幹の制度として根付いてきました。

　しかし、この制度は過去何度か見直しの俎上（そじょう）に上っています。公正取引委員会は、規制緩和を推進し、公正かつ自由な競争を促進する観点から、再販制度を維持することが妥当なのかどうか、出版業界をはじめ該当する業界と議論を重ねてきました。その結果、現時点で再販制度を廃止すれば、書籍・雑誌などの発行企画の多様性が失われ、国民の知る権

利を阻害する可能性や、文化・公共面での影響が生じるおそれがある、という業界側の主張に一定の理解を示す形で、公正取引委員会は再販制度を「当面存置（そんち）」するとの見解を 2001 年（平成 13 年）3 月 23 日に発表しました。

　出版業界は、引き続き再販制度によって、出版物を全国の書店を通じて同一価格で提供し、読者が本と出合う機会を均等に享受できるための環境作りに、貢献していくことになりました。

　ただ、どのような制度、法律でも絶対というものはなく、その時代の背景や国民の要請に応じて、変化していくものです。再販制度においても、読者利益と日本の文化や著作者、製作者、販売業者の保護との調和を基本に据え、制度の活性化を推進していくことが求められます。

　当面存置が決定した再販制度ですが、出版物の全てを硬直的に定価販売品目として指定するものではありません。公正取引委員会は、1980年に導入された＊部分再販や＊時限再販など、再販制度の弾力的運用を積極的に活用していくことが、読者の利益と信頼を向上させ、業界の発展につながるとしています。現在業界においては、非再販商品の発行・流通の拡大、各種割引制度の導入による価格設定の多様化などの方策を推進しているところです。

＊**部分再販**：出版社が「新刊販売時」から小売価格を拘束しない販売方法。再販契約を、取次会社と締結している出版社であっても、その書目は非再販として扱われます。

＊**時限再販**：出版社が再販出版物を「新刊発行後」に非再販に切り替える販売方法。新刊時（定価＝再販扱い）に、一定の年月経過後は価格拘束を解くと表示する時限再販と、新刊発売後の経過を見て非再販に切り替える方法があります。また、出版社が行う「謝恩価格本フェア」のように開催期間および販売箇所を限定し、その期間のみを非再販扱いにする方法も時限再販の範疇と解釈されています。（『再販契約の手引き』（第 7 版）出版流通改善協議会　編）

b. 委託販売制度

　委託販売制度は出版社、取次会社、書店の間で契約に基づき、出版社が製造した出版物を一定の期間、取次会社を通し書店で販売をしてもらい（委託販売）、期間終了後には売れ残った出版物の返品を出版社が引き取るという制度です。これによって出版社は効率的な販売を前提にし

て本を製作することができ、取次会社、書店は返品を気にせず、安心して出版物を販売することができるわけです。

『出版事典』（出版ニュース社）によるとこの制度は、書籍については、1908年（明治41年）11月に、大学館が東京市内の小売書店に試みたことが端緒と言われています。

また雑誌については、1909年1月に、実業之日本社が「婦人世界」を販売する時、書店に対して売るだけ売ってもらい、残ったら返していただいて結構です、ということで委託し、画期的に売上げを伸ばしたのが最初だと言われています。聞くところによれば、1冊15銭で約30万部売れたようです。

この委託制度は再販制度とともに、出版界成長の原動力となってきました。特に出版業界が右肩上がりに成長していた時代には、有効に機能してきました。読者の購買意欲が強く、需要が供給を上回っていた時代には、出版社から委託によって送りこまれる出版物は、結果的にマーケットで消化され、返品も少なく3者間でうまく利益の配分がなされていました。

ところが、業界がマイナス成長に転じると、この委託制度は様々な面でひずみを生じてきました。出版社は本が売れなくなり、返品が増えてくると、出版活動を手控えるどころか、今までと同様の売上げを確保し、資金繰りを維持するために、総じてそれまで以上の数の出版物を発行し始めたのです。

最近の出版点数増加の背景には、出版社のそのような行動の変化があることを読み取れます。この点は「(1)出版点数の増加」（P.17）の中で指摘しました。

書店店頭は次から次へと送り込まれる出版物であふれかえり、販売期間は一層短縮し、今まで以上の返品が出版社に押し寄せてきました。それをカバーするために出版社は、さらに出版点数を増やして減収分を補おうとする行動に走ります。業界全体が、まるで壮大な自転車操業状態に突入している、と見えなくもありません。これは、本を容易に流通させることができる委託制度の負の反映と言えます。

　また、多くの書店は長年、委託制度に依存してきたことにより自主仕入力が弱まり、売上低下の影響から人件費の削減で正社員がパート・アルバイトへ代替されていることもあって、店頭の品揃えにも影響が出ています。

　この負の連鎖をどのような形で断ち切るのか、業界の疲弊が進行する中、3者それぞれが、販売についての新しい試みを模索しています。

　現在、出版社－取次会社－書店間での契約販売制度や責任販売制度、出版社－書店間で結ばれる特約店制度など、委託制度と買切り制度を利用しながら効率的販売を目指そうとする動きが見られます。

(4) 販売ルートの硬直化

　日本の出版物流通では、歴史的に出版社－取次会社－書店の流れが販売のメインルートとして位置付けられてきました。一時このルートを正常ルートなどと呼んだ時期もありました。そのように呼ばれてきた理由は、現在でも出版物販売ルートの中で60％程度の占有率を占めるほど、他のルートを圧倒して大きな位置を占めているからです。

　ただ年々この書店ルートの占有率も、低下する傾向にあります。消費者の購買行動の多様化に対応して、インターネット販売、出版社直販（出版社が取次を通さず販売店や読者に直接販売する）など販売ルートが多様化し、それを読者が支持してきた、という背景があります。

　一般的に言えば、出版社は自社にとってひとつの販売ルートが大きくなると、そのルートでの売上げを確保しようとするために出版点数を増加させたり、自社の得意分野以外のさまざまな分野にわたる出版物を出そうとします。その結果、出版社としての個性や製品コンセプトが薄れ、最終的には読者離れを引き起こすことになります。現在の出版点数増加も、その現れと見ることができます。

　販売環境が良好で売上げが順調なときには、パイプの太いルートがあればとても効率的に販売できます。しかし、環境の変化で売上げも低下してくると、太いパイプに依存したままの状態でいれば、一蓮托生で沈んでいくことになります。情報や娯楽がインターネットなどで簡単に手

に入る時代に、多様な選択肢の中から出版物を購入してもらうためには、読者に様々な利便性を提供していかなければ、売上げを確保していくことはできません。読者ニーズに合った販売ルートの発掘が課題になるでしょう。

アメリカでは読者が書店ルート以外で本を購入する割合が多くを占めています。再販制度のないアメリカでは、小売価格やマージンの設定を弾力的に行うため、オンライン書店、ブッククラブ、大型スーパー、ドラッグ・ストアなど、多様なルートで出版物が販売されます。

筆者もアメリカの小売店を訪ねた折に、文房具店で実用書や児童書が販売されていたり、食料品店では料理の専門書が、登山用品店では地図や登山のガイド書などが陳列・販売されている関連販売・複合販売の実際を目の当たりにしました。

今後、我が国の出版物販売においても、再販制度下での運用を堅持しながら、読者の利便性や利益を念頭に置いた、新しい販売方法への取り組みが期待されています。

なお、近年アメリカでは、電子書籍市場の拡大や、オンライン書店の台頭によって特に大手書店チェーンの経営不振が続いており、業界第2位のボーダーズが 2011 年に経営破綻したほか、最大手バーンズ＆ノーブルも 2019 年に同社をヘッジファンドのエリオット・マネジメントに売却しています。

大手書店の不振の一方で独立系書店は、地元に密着した経営でその存在感を増してきましたが、新型ウイルス流行下で書店を閉鎖せざるを得なくなり厳しい状況が続いています。

独立系書店を支援する動きとして、2020 年アメリカ書店協会（American Booksellers Association：ABA）および著者などによる救済キャンペーン（Save Indie Bookstores）が行われ、また地域住民が書店を人が集まる場所、文化発信の場所としての価値を認め、インターネット上でなく地元の書店から購入して支援するという動きも出てきています。

図表Ⅰ－6 販売ルート別出版物販売額（2022 年度）

販売ルート別出版物販売額

販売ルート	出版物販売額（百万円）	構成比 ％	前年比 ％
書店	815,705	58.2	97.8
CVS（コンビニエンス・ストア）	93,324	6.7	79.6
インターネット	287,217	20.5	102.3
その他取次経由	34,978	2.5	94.1
出版社直販	170,872	12.2	96.1
合計	1,402,096	100.0	96.9

日販ストアソリューション課『出版物販売額の実態 2023』（日本出版販売）

販売ルート別構成比

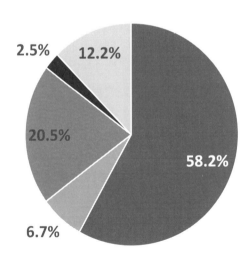

■書店　■CVS　■インターネット　■その他　■出版社直販

(5) 流通改善への取り組み

　読者から書店に対するクレームの中で特に目立つものは、「注文品の入荷が遅い」「欲しい本がない」「新刊本の入荷が遅い」というものです。

　これは書店だけの問題ではなく、出版業界全体への苦情ととらえるべきです。読者が書店店頭にない本を注文すると「取り寄せに 10 日程度かかります」と、平然と答えるような業界は他に見当たりません。読者接点の最前線に立つ書店からは、「日々読者からクレームを受けているその痛みを、出版社や取次会社は理解していない」との厳しい指摘もあります。

　現在の出版物流通は雑誌や新刊書など委託配本による大量配送については、優れた機能を有していますが、読者個々に対応していく客注品などの注文品流通については、他業界に比べて改善が遅れています。

　その大きな理由は、多品種少量生産という出版物の特性に起因しているところが大きいと考えられます。日本出版インフラセンター（JPO）のデータベースにはおよそ 235 万点（紙の書籍）の書誌情報が登録され（新刊・既刊・在庫切れも含む）、膨大な数のアイテムが流通していますが、その全てに対して、読者が満足するレベルまで流通機能を高めていくためには、業界横断的な協力と理解、投資が必要であることは言を俟ちません。

　流通改善については読者や公正取引委員会からの指摘を待つまでもなく、業界の長年の課題として出版社、取次会社、書店の 3 者で取り組んできました。その主な取り組みを挙げてみます。

①出版 VAN（ Value Added Network ＝付加価値通信網）の構築

　1991 年に、出版社と取次会社との間で在庫情報や受発注情報などをコンピュータによる交信を通して、円滑な商流、迅速な物流を図るためのネットワーク、出版 VAN が作られました。2003 年 4 月には、インターネットを初めとする通信環境の変化や多様な電子データ交換（EDI：Electronic Data Interchange）ニーズに対応するために、利用料を改定してより多くの出版社の参加を得、日本出版取次協会が主導

した、新しい出版 VAN（正式名称：新出版ネットワーク）がスタートしました。現在、旧出版 VAN は全て新出版ネットワークに移管しています。

②書店 SA 化（ Store Automation）推進

EDI などの導入によって、定型的な業務や事務処理、書誌検索、受発注処理、伝票作成などを機械化、自動化するほか、POS(Point of Sales、販売時点情報管理。小売店頭で販売された商品の銘柄、個数、金額、時間、客層などが、その時点でコンピュータに伝達されるシステム) レジスターの設置によって、仕入、販売、物流にわたる情報処理、流通の合理化を図っています。

③書店インターネット発注

書店からインターネットで商品を発注できるサイトを出版社が共同で構築し、迅速な物流を実現しようとするネットワークシステムです。

④取次会社ダイレクト発送

取次会社が書店からの注文を、自社流通倉庫の在庫を使って宅配便で配送することや、取次会社が読者から直接商品を受注し、読者の近くの書店や自宅へ宅配便で届けることなど、取次会社による注文品処理スピードアップのための取り組みがなされています。

⑤取次会社流通倉庫の充実

従来、書店から出版社まで届いて処理されていた注文品のリードタイムを短縮するために、近年取次会社では流通倉庫の在庫銘柄を増やすことを進め、大手取次会社では現在、注文量の 80％程度まで自社流通倉庫から出荷できる態勢を整えています。

⑥一般社団法人日本出版インフラセンター

一般社団法人日本出版インフラセンター（JPO）は、日本書店商業

組合連合会・日本出版取次協会・日本雑誌協会・日本書籍出版協会の業界4団体と日本図書館協会が設立発起人となって、出版情報システム基盤整備の事業などを支援・遂行することを目的に、2002年4月に前身である日本出版データセンター（JPDC）として設立されました。

2002年11月に、出版業界の流通改善と読者サービスをより積極的、かつ広範囲に推進する必要から、事業の拡大とそれに伴う機構改革および名称変更を行い、有限責任中間法人日本出版インフラセンター（JPO）となり、2009年6月には一般社団法人となりました。

現在、日本図書コード管理センター、雑誌コード管理センター、書店マスタ管理センター、出版情報登録センター（JPRO）の4つのセンターを持つほか、国際機関の日本委員会（ISBN、EDItEURの対応組織）を持ち、出版産業のインフラ整備を進めています。また、試し読み推進委員会、Thema推進委員会を設けています。

紙と電子の近刊情報・販売促進情報・出版権情報・書誌の確定情報を一元管理し、提供する出版情報登録センター（JPRO）では、一般向けのBooks（紙と電子の書誌情報を提供（定期誌等含む）、280万点が検索可能）のほか、書店向けのBooksPro（上記に加え販促情報など）というサイトを公開しています。特にBooksProでは書誌情報のほかメディアでの紹介、新聞広告などの情報を発信し、また出版社の受注サイトとの連携によりBooksProの画面から書店が注文できる仕組みを構築しました。

⑦ ICタグの実用化

書籍に小型の情報チップであるICタグ（荷札）を埋め込み、書店店頭での万引き防止のほか、流通の改善、店頭でのマーケティングにも活用しようという試みが進められています。日本出版インフラセンターは経済産業省と共同研究として、2003年から2008年に実証実験を行いました。

⑧オンライン書店の流通革新

　90年代半ばに登場した、インターネットを使って書籍の通信販売を行うオンライン書店が、年々その利用者を増やしています。オンライン書店は、地上に実際の店舗を構えるリアル（現実）な書店に対して、バーチャル（仮想）書店などと呼ばれたりすることもあります。

　運営する主体は、リアルな書店のほか、外資系、取次会社系など様々です。商品調達を担う取次会社は、総じてオンライン書店からの注文に迅速、積極的に応えようとする姿勢が見られ、オンライン書店専用のWeb倉庫を開設するところも現れています。また、オンライン書店では積極的に出版社との直接取引の拡大を進めています。

　オンライン書店が急速に読者を獲得してきた背景には、主に現在の出版流通の脆弱性に起因する「欲しい本が書店にない」「取り寄せに時間がかかる」「欲しいときには書店が閉まっている」という読者の不満を、オンライン書店が吸収するようなシステムを作り上げたことにあるのではないかと思われます。

　24時間営業、即日発送商品の充実、宅配便による注文リードタイムの短縮などは、それまで既存の書店では成し得なかったサービスです。また、読者から寄せられる全ての注文は、ニーズに基づいた客注であるため、オンライン書店ではだれが、どのような本を読むのかというマーケティング情報を蓄積することができ、情報技術の駆使によって、1人1人の読書傾向に合った新刊などの提案を可能にしました。

　オンライン書店は、全国をカバーする商圏の広さと書籍データベースの検索機能、1冊1冊の注文に応えていくシステムによって、いままで眠っていた読者のニーズを掘り起こし、リアル書店とのすみわけを図りながら、さらに発展を続けています。

　オンライン書店に引っ張られる形で、既存の書店－取次会社－出版社間の出版流通改善も進んでいます。取次会社に在庫している商品を、宅配便を使って書店や読者自身に届けるサービスの向上を通して、オ

ンライン書店に負けない素早い流通が実現しています。

　この他、業界統一書誌データの整備、書店共有マスタの構築など流通各段階、あるいは業界を横断して改善に向けた取り組みが行われてきました。現在では取次流通倉庫在庫品については、書店の発注から最短2、3日で店頭に届けられるところまで改善しています。

　しかし、取次流通倉庫にない商品の取り寄せは出版社からの出荷を待たなければならず、なお改善の余地を残しています。読者サービス・利便性の向上を目的にした流通改善は、これからが本番と言えます。

II．本を売る

1．出版業の産業分類

　出版業は、どのような産業に分類されると思いますか。ちょっと考えてみてください。製造業でしょうか、それともサービス業あるいは情報通信業でしょうか。

　日本の産業を統計上から分類する総務省作成の「日本標準産業分類」によれば、2002年3月、それまで「製造業」に分類されていた出版業は、新しく創設された大分類の「情報通信業」に移され、その中の中分類項目である「映像・音声・文字情報制作業」に入ることになりました。少なくとも分類の上では、出版社は出版物という有形財を造り、その販売を通して収入を得るメーカーの立場から、情報を産み出し、それを配布・販売するコンテンツ産業に生まれ変わったことになります。電子書籍などの台頭によって、今後出版の形も様々に変化していくことでしょう。

　ただし現状においては、出版業界は本や雑誌という製造物の取引を通して大半が成り立っており、製造物であることによって発生する製造工程、物財としての流通＝物流、在庫管理、出版物販売などが特徴的に存在しています。この章では現状に合わせて、製造物としての本の販売、流通などを中心に解説していきたいと思います。

２．製造物としての本

(1) 価格の構成

　製造物としての本の価格は、どのようにして決まるのでしょうか。

　製造物ですから基本的には材料に係る資材費用がかかります。そのほか、流通させるために流通業者へ支払うマージン、販売するための諸経費などを考慮した上で、出版社は価格を決定します。また、競合他社の類書や読者が手に取ったときの値ごろ感なども、価格設定上のファクターになります。

　これらの直接的経費を差し引いた後に残るのが、出版社の第一次利益（粗利益）になります。その粗利益から従業員の人件費や日常活動を行うために必要なオフィス賃借料や、光熱費などが支払われます。

　ただし、これは製作し発行した部数の全てが販売できることを前提にした場合です。現在、業界平均で30％を超える書籍の返品率があり、仮に発行した部数の30％が返品され、実売率が70％しかないとすれば、その書籍は赤字を生むことになり、出版社の経営は成り立たなくなります。

　実際には、返品された書籍は帯やカバーを取り替え、お化粧直しをして、書店からの注文に応えて再度出荷されていきます。出版社は書店への販売促進や宣伝などによって、受注活動を行い、初版部数を消化していきます。出版社の経営を実質的に支えているのは、追加注文だと言えるでしょう。

　専門書のように特定の読者を対象にした本の場合、1年〜2年あるいはそれ以上の期間をかけて初版部数を販売していきます。その期間は本を在庫し保管しておくわけですから、維持費がかかります。また従業員への給料、印刷・製本業者への支払いなど、本の販売状況に関係なく出費していく経費もあります。出版社はこのような状況に対応していくために、ある程度の数の新刊を発行しながら、既刊本の受注活動を行って売上げや利益の確保、資金繰りを行っているのです。

図表Ⅱ- 1 本の価格構成比（例）

紙代	6%
製版代	12%
印刷・製本代	7%
編集費	3%
著者印税	10%
取次会社マージン	8%
書店マージン	22%
出版社粗利益	32%

出版社粗利益 32% → 支出経費
- 従業員人件費
- 販売促進費
- 宣伝費
- 販売管理費
- 共通管理費等維持費

＊ここに記した数字はあくまでも概算である。発行部数、価格設定、発行分野、製作体制、著者印税の考え方などの違いにより、銘柄ごと、出版社ごとで構成比は異なる。

(2) 定価表示

　出版業界では、出版社が再販出版物に付する小売価格には「定価」と表示することを定めています。発行後、出版社の判断により、出版物を再販契約の対象から外したときは、出版社が「定価」の表示を抹消することになっています。

　また消費税を含んだ価格を定価とし、本体価格を表示して消費税と区分けする外税表示を採用する出版社が、2004年の総額表示の義務化以前は、主流となっていました。

　例：定価（本体1,500円＋税）

　このような表示方法を採用するまでには紆余曲折がありました。

　1989年に我が国に初めて3％の消費税が導入されましたが、その際に、再販商品である出版物の定価には消費税が含まれるのか、含まれないのかという論議が起きました。

　公正取引委員会は「消費税導入に伴う再販売価格維持制度の運用について」という指針を通して、「小売段階での再販売価格は、消費者が払う消費税込みの価格である」との見解を出し、出版物の定価は消費税を含む額であるとしました。これを受けて出版社は、価格を消費税込みの内税表示で行うようになりました。

　例：定価1,545円（本体1,500円）　＊消費税3％当時

　この結果、出版社では保有在庫品のカバーやスリップの付け替え、旧表示のシール貼り訂正など、価格表示変更に伴う多大な経費が発生したほか、経費に見合う売上げが見込めないという理由から、やむなく絶版にせざるを得ない書籍も多数に上りました。

　ところが、このように混迷した事態がまだ記憶に新しい1997年、消費税が5％に改定されることになり、業界は再び大混乱に陥りました。

　出版社は上記のような内税表示形式で、1点1点出版物本体とカバーなどに定価額を刷り込んできたため、消費税改定にあたって全ての価格表示を改めなくてはならなくなったほか、電算管理システムの変更も余

儀なくされ、再び多大な労力と費用が発生することになったのです。

このまま内税表示形式を続ければ、消費税率改定のたびに価格表示を改めることになり、大きなコストの発生が繰り返されることになります。基本的に価格表示を税抜き（外税表示）にするか税込み（内税表示）にするかは各事業者の判断に委ねられていますが、過去の教訓を生かし、将来の消費税改定も睨んだ対応という点から、多くの出版社は外税表示を選択するようになったのです。

ただし、雑誌については定期性が強く、発売期間が限定されるほか、駅売店での販売にも配慮する意味から、ほとんどの出版社は従来通り税額を含んだ内税表示（例：定価 550 円 本体 500 円）を採用しています。

しかし 2004 年 4 月、総額表示（内税表示）が義務付けられたことから、出版業界として、新聞・雑誌などの出版広告、出版目録・内容見本、ホームページなどの出版情報は総額表示とし、また書籍本体については販売管理用の短冊であるスリップの上記突起部分（ボーズ）に、総額を表示する方法などがとられてきました。

その後 2014 年 4 月から消費税は 8％に、2019 年 10 月から 10％に引き上げられましたが、消費税の円滑かつ適正な転嫁の確保のため 2013 年 10 月から 2021 年 3 月までの間は、総額表示を必要としない特別措置法が施行されていました。

2021 年 4 月から総額表示義務が復活しています（罰則規定なし）。日本書籍出版協会では総額表示に関するガイドラインを 2020 年 12 月に公表しました（書協 HP に掲載）。

例：定価 1,650 円 ⑩　　定価 1,650 円（本体 1,500 円＋税 10％）

近年ではスリップを廃止している社もあり、今回の義務復活に際して各社、スリップのほか、オビ、シュリンクラップ、カバーに印刷するなど本の態様にあわせてそれぞれ対応をしています。

なお、出版界としては、引き続き総額表示の義務免除とともに、文化に資する書籍・雑誌に対してヨーロッパ先進国同様に、軽減税率の適用を継続して求めています。

(3) コード管理

　現在、JPO の書誌データベースには 235 万点（紙の書籍のみ、在庫切れを含む）が登録されており、膨大な数の書籍が流通しています。

　これらの書籍をわかりやすく分類し、円滑に流通させるために、発行される出版物には一定の規則に基づいたコードが付記されています。これによって、出版社、取次会社、書店の各流通段階で機械処理、電算処理が可能になり、仕入、販売、返品のデータ管理やそれに基づく請求、入金管理業務が行われています。

　日本の書籍流通で使われているのが日本図書コードです。日本図書コードは、国際規格の「ISBN」（International Standard Book Number 国際標準図書番号）に、分類記号と価格コードを加えたコード体系です。

　コードの運営と管理については日本書籍出版協会、日本雑誌協会、日本出版取次協会、日本書店商業組合連合会、日本図書館協会などで構成する「日本図書コード管理センター」が担っています。日本図書コードで表記されている数字には、下記のような意味を持たせています。

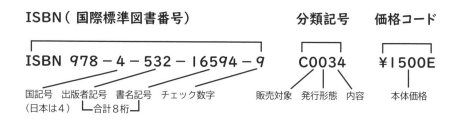

　ISBN は 2006 年までは 10 桁で表記されていましたが、英語圏の国での出版社記号の枯渇が目前に迫ってきたため、2007 年 1 月 1 日をもって 13 桁となりました。日本の場合、従来の国番号である 4 の前に 978 の接頭記号を表記することになっています。

　この他に、書籍カバーの裏側に 2 段のバーコードが印刷されているのを目にしたことがあると思います。これは書籍 JAN コードと言って、日本図書コードの内容を 2 段のバーコードに書き換えたものです。JAN（Japanese Article Number 日本共通商品番号）とは、国際的な 13

桁の共通バーコード体系である EAN(European Article Number) の日本版で、各種業界で使用されています。現在、新刊では文庫・新書の100%、その他の書籍の約99%にこのバーコードが付記されています。バーコードの記載によって、一層円滑な物流が実現できるようになりました。

　書籍の販売ルートについては、I 章の「2．出版業界の構造的な問題」の中で、「販売ルート別出版物販売額」(P.25) を紹介しました。次にそれらのルートを、もう少し詳しく見てみましょう。

3．出版物流通ルート

(1) 取次・書店ルート

　出版物流通のメインルートであり、現在でも販売シェアは6割程度あります。出版販売金額全体が減少している主な要因は、この取次・書店販売ルートの不振にあります。出版点数が高止まりしているにもかかわらず、販売金額が減少しているということは、1点当たりの印刷部数や販売冊数が減少しているということになります。このルートについては後ほど詳述します。

(2) 直接取引ルート（出版社直販ルートのひとつ）

　これは取次会社を経由せず、出版社と書店が直接取引をするルートです。オンライン書店と出版社との取引、中小出版社が共同で書店と取引する場合など、近年増加傾向にあります。

(3) 教科書ルート

　出版社が、一部取次を介して、特約供給所（各都道府県におおむね1箇所）や、取次供給所に送本し、学校へ供給されます。取次供給所は、通常書店がこの業務を行っています。

(4) コンビニエンス・ストア（CVS）ルート

　コンビニエンス・ストア（CVS）では、弁当、飲み物、雑誌の三点を特に重要視しています。基本的に弁当を壁面に、飲み物を一番奥に、雑誌を外から見える窓側に配置して、その三角形を消費者が回遊できるように店内を設計しています。

　近年CVSにおける出版物の売上げが減少し、雑誌の取り扱いを減らす傾向にあります。一方で書籍やコミックを取り扱う店舗や本の取り寄せを行う店舗も増えています。

　出版物は返品可能な商品としても、お客様を誘引できる商品としても

CVS にとって魅力のある商品と言えるかもしれません。

(5) 生協ルート

　このルートは取次・書店ルートに似ていて、書店の代わりに生協（生活協同組合）が位置しています。生協は学校や職場、地域に基盤を置く消費者が円滑な商品購入によって、生活を豊かにしていくために、法律に基づいて設立された団体です。

　前にも述べたように、出版物は再販制度に基づいて定価で販売することが認められていますが、生協はこの適用の除外対象として位置付けられています。つまり生協では定価で販売しなくても許されるということです。学生が学校の生協に行って、本を安く購入できるのも、こうした理由によるものです。生協では現在、定価の5%〜10%くらいの割引き販売がされているようです。

(6) 直接販売 （出版社直販ルートのひとつ）

　出版社が直接読者に本を販売するケースで、個人のほか、官庁、学校、幼稚園、各種組織・団体などに向けて販売する例が多く見られます。

(7) その他取次経由

　その他、取次経由で、駅・スーパーなどに販売するルートもあります。

図表Ⅱ-2 主な出版流通経路

●取次・書店ルート

●その他の主なルート

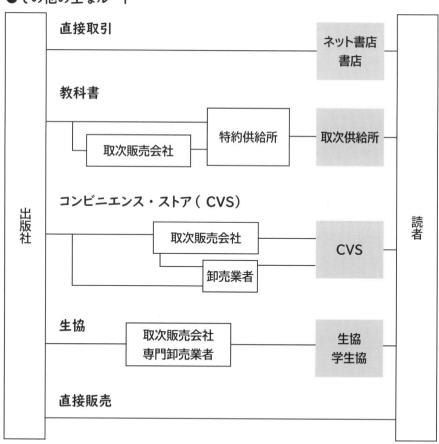

『トーハン週報別冊 よくわかる出版流通のしくみ』（メディアパル）をもとに作成。

4．取次・書店ルート

(1) 本の流通過程

　新刊本が書店で陳列され、読者の手に届くまでには、いくつかのステップがあります。最初のステップは、出版社が取次会社に見本を持参し、取引の交渉をすることです。出版物を受け入れることを、取次会社では「仕入」と言います。

　取次会社では、出版社から届けられる見本を基に、何部仕入れるか、社内会議を開いて1点1点検討します。「委託」「買切り」といった出版社側の取引希望条件や過去の類似本の実績、配本できる書店の状況を勘案しながら、取次会社としての仕入希望部数を出版社側に提示し、出版社の希望部数と調整した上で最終仕入部数を決定します（部決）。普通は4日後、お互いが合意した部数を出版社は製本会社経由で、取次会社へ搬入します。

　搬入される（仕入れる）本は、書店ごとの特徴によって仕分けされます。大きな取次会社のシステムには、取引書店ごとの特徴が記録されています。このように書店の特徴に基づいて配本する方法を、データ配本あるいはパターン配本などと呼んでいます（**図表Ⅱ－3**）（P.42）。

　取次会社に搬入された本は、取次会社によって書店まで配送されます。書店に到着した本は店頭に並べられるほか、外売(外商)という形で家庭、学校、図書館、会社、団体など、書店の得意先にも届けられます。ここまでが、出版社が取次会社に本を搬入し、取次会社が書店に配本・輸送するという、主として物的流通の仕事になります。

　これ以降は第二ステップです。読者が本と初めて出合うのは、普通は書店です。書店は出版産業の最前線に位置しています。「これこれこういう本が出ました」ということを店頭陳列を通して読者に知らせ、購入してもらうわけです。

　その際に出版社の営業は、自社の本が計画通りに適切な書店に配本され、陳列されているかをチェックします。この部分は非常に重要なポイ

ントで、この点を着実に実行しないと返品の増加につながったり、確実に売れる書店への配本を見逃したりすることになり、読者と本との出合いが実現できないことになります。

(2) 取次会社の機能

出版業界における取次会社は、問屋機能を有する販売会社と位置付けられています。一般的に問屋（卸売業）は、集荷分散と需給調整の2つの機能を担っています。

仮に問屋が全くない状態で、生産者と小売店が直接取引きを行う場合を考えてみましょう（図表Ⅱ－4）。このケースでは「生産者の数」×「小売店の数」だけ取引が発生することになります。日本の出版社を仮に3,000社、書店の数を11,000店と見積もれば、3,000 × 11,000 = 3,300万通りの取引が発生し、金銭、労力の面で莫大なコストがかかり、とても非効率な流通形態となります。

直接取引に代わって生産者と小売店の中間に問屋を介在させると、商品を集荷（仕入）し分散（販売）する機能を一元化できるようになり、効率的な流通が実現するほか、流通システム全体で市場動向に合わせた商品供給（需給調整）が可能になります（図表Ⅱ－5）。

図表Ⅱ－3　新刊本の流通過程

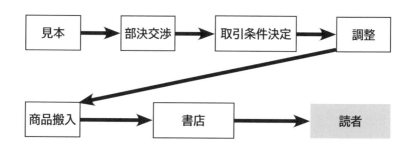

図表 II - 4

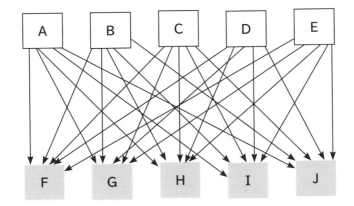

図表 II - 5

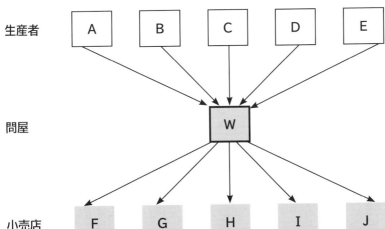

最近、問屋無用論や問屋を抜きにした生産者と小売店が直接取引きするような戦略的提携が注目されていますが、問屋が存在することによって得られるメリットを踏まえた上で論議する必要があるでしょう。そのメリットの主なものを挙げてみます。

①小売店の豊富な品揃えを実現できる。
②中小・零細の小売店の存立が、ある程度可能になる。
③第三者の小売業への新規参入を容易にする。
④出版社にとって相対的に安価な費用で全国の書店に配送できる。

　特に出版業界は中小・零細規模の出版社や書店が多数存在しており、取次会社は多品種少量生産の商品特性を持つ出版物を、店舗別に小分けして全国エリアに多頻度少量配送できる、流通の要の役割を担っています。

　取次業の発祥は明治時代に遡ることができます。戦前には東京堂、北隆館、東海堂、大東館の４社が主要取次会社として業界を動かしていました。

　第二次大戦に突入すると、国は統制経済の色を強め、出版物においても「出版一元配給体制」を築くために、日本出版配給株式会社（日配）という国策会社を設立し、取次会社を統合しました。

　1944年（昭和19年）商工省の指令で、日配は改組し、統制会社になりました。戦後、商事会社に移行し、日本出版配給株式会社と名称を再変更して、一般会社として再スタートしましたが、ＧＨＱ（連合国軍極東総司令部）による財閥や巨大独占企業の解体方針を受けて、1949年３月に解体されました。

　その後、日配への統合以前から事業を営んでいた取次会社が活動を開始したほか、1949年９月には、いま活動している大手取次会社が誕生しました。現在の主な取次会社である、トーハン、日本出版販売（日販）、中央社、日教販はいずれもこの時期に誕生あるいは再スタートを切った会社です。

次に取次会社の仕事を機能別に整理してみましょう。

a. 仕入・集品機能

新刊書の「仕入」プロセスについては先に述べた通りです。

ちなみに取次会社からすると「仕入」になるわけですが、出版社からすれば出版物を「搬入」するということになります。搬入といっても、実際の納入は製本会社が受け持ちますから、出版社は商取引だけを行うことになります。

新刊書以外で、読者からの注文品（客注）や書店の見込み注文品、補充注文品などは、原則的には取次会社が出版社に集めに行くことになります。わかりやすく言えば、出版社が取次会社に販売を委託するものは出版社が取次会社に運び、逆に取次会社が必要なものは出版社に取りに行くということです。後者を「集品」と呼んでいます。

ただ、注文取引の頻度や数量が少なかったり、出版社の在庫保管場所が取次会社の集品ルートから外れている場合には、出版社が取次会社に注文品を届けるケースもあります。

b. 配本調整機能

取次会社から書店へ本を配送するためには、どの書店に、何の本を、どのくらいの量（冊数）を出荷するのか、決めなければなりません。

決めるにあたっては、その書店の売上規模、分野別構成比、返品率などの情報が参考にされます。大きな取次会社では通常、これらの情報をコンピュータにインプットしておき、「データ配本」や「パターン配本」と呼ばれる配本システムの中で生かすようにしています。この仕事が取次会社の「調整」と呼ばれるものです。

c. 販売の企画立案機能

販売の企画立案については、本来販売会社である取次会社が出版社から仕入れた本をどのように販売していくのか、出版社と協議しながら詰めていくものです。

しかし、出版点数が年間約 7 万点も発行される状況では、取次会社が 1 点 1 点について販売企画を策定することは実質的に不可能であり、現在では出版社が特別に力を入れている一部の企画物についてのみ、営業部門を交えて検討するにとどまっています。

d. 輸送機能

書店ごとの仕分けを完了した本は、梱包されて書店に輸送されますが、このとき伝票も一緒に付けられます。物的流通と商的流通とが合体して書店に届けられるわけです。

e. 商品管理機能

取次会社は、書店から注文を受けた商品を原則として出版社に集品に行くと言いましたが、毎日出版社に大量の注文品を取りに行くのは大変な作業になりますし、出版社が取次会社に届ける場合も負担になります。

そこで取次会社は自社の「流通倉庫」「管理倉庫」に、ある程度商品を在庫しておき、書店からの注文に迅速に応えられるようにしています。近年ではシステムによる在庫管理が進み、現在庫の把握、在庫・注文状況に合わせた出版社への自動発注などが行えるようになっています。

f. 金融機能

取次会社は書店に搬入（販売）した商品について代金を回収し、出版社に支払いをします。取引の精算は出版社－取次会社、取次会社－書店の間で、毎月締め日を設け処理されています。取次会社から書店には売掛金請求書が行き、出版社へは支払い計算書が送付されます。

以上からわかるように、取次会社は大きく分けると商的流通機能と物的流通機能の 2 つの機能を担っています。

この他にも書店の情報化を支援し、情報の収集、加工、提供などを行う情報機能や書店の出店相談、人材開発・教育支援などを目的とするコンサルティング機能、リテールサポート（小売支援）機能なども有して

います。

　日本の流通業の歴史の中で問屋（卸売業）は、合併、再編など構造変化の中心にいます。その背景には消費者の変化があります。

　情報があふれる現代において消費者のニーズの多様化やライフスタイルの変化は激しく、消費者との接点に位置する小売店ではその変化に対応するため、品揃えやサービス内容の見直し、店舗の改装や業態転換など、生き残りをかけた改革に取り組んでいます。

　小売店の変化にあわせて問屋も自らの変革を迫られ、特定の商品を強化する専門化、特定の地域に営業を特化するリージョナル化、他社との連携や合併によって豊富な品揃えを実現しようとするフルライン化など、小売店やメーカーから選ばれる問屋への脱皮を図っています。

　古くからの問屋は中小・零細小売店を得意先にもつケースが多く、小売店の大型化や新業態に対応できるだけの経営基盤の強化が喫緊の課題になっています。また、中小問屋は小売店の業態開発支援や経営指導能力を強化することが求められる一方で、自社の経営の近代化や合理化を強く迫られているのです。

　出版業界においても、1999年末関西の中堅取次柳原書店の倒産に続いて、2001年12月に人文書を中心にした伝統ある専門取次の鈴木書店が経営破綻して、業界に衝撃が走りました。

　折からの出版不況のあおりを受けた、という背景もさることながら、読者ニーズの変化に伴う書店環境の激変に対応できず、古くからの取引慣習への依存、情報化への遅れなどが重なり、自社の経営近代化・合理化を進めることができなかったことが原因と見られています。

　また、2013年には大阪に本社を置く出版取次第3位の大阪屋の経営不振が表面化し、その後主要出版社などからの第三者割当増資によって、再スタートを切りました。

　2015年には、栗田出版販売が経営破綻し、2016年に大阪屋と栗田出版販売の事業を継承した、大阪屋栗田（2019年より楽天ブックスネットワークに商号を変更）が設立されました。

さらに、2016年に中堅取次である太洋社が破産し、その影響で廃業した書店もありました。近年では、運送業界の人手不足、物流の減少から流通コストが上がり、取次会社の経営はますます厳しくなっています。

　出版流通の要としての取次会社も、他業種の問屋同様、外部環境や得意先の変化に対応していくために、自社の経営資源の活用を図りながら他社取次との事業連携、あるいは組織の再編・再構築、事業形態の見直しなど、経営の合理化を進めていくことが迫られています。

(3) 流通取引条件

　出版物流通には取引の形態別に条件が設定されており、その条件にしたがって発送、請求、入金などの業務が行われています。その概略をまとめておきます。

a．新刊委託取引

　出版社は取次会社へ委託販売した新刊書について、いったん全額売上げ計上します。ただし、委託販売は返品を前提にしていますから、その後書店から返品されてきたものを差し引いて、実売が確定することになります。初めに搬入した分については、実際に売れなくても全額売上げが立つわけですから、見せかけの売上げと言えるかもしれません。

　新刊委託取引は、取引全体量の送品ベースで25％程度、返品を差し引いた実売ベースでは10％強になると推定されます。新刊委託で書店に配本された分は見本で、その後の追加注文につなげる役割を担っていると考えるのが妥当です。返品されたものは出版社で、改装されお化粧直しの後、書店からの注文によって再び出荷されていきます。

　次の表（図表Ⅱ－6）は、出版流通における委託期間とその請求期日をまとめたものです。

　表に示されている通り、出版社－取次会社間の新刊委託期間は6ヵ月です。簡単に言えば、6ヵ月の間は返品があり、6ヵ月後に実売数が確定するわけです。

　取次会社と書店との間の新刊委託期間は3ヵ月半（105日）です。出

図表Ⅱ－6　委託期間と請求期日

	出版社―取次会社		取次会社―書店	
	委託期間	請求	委託期間	請求
書籍 新刊委託	6ヵ月間	6ヵ月目	3ヵ月半 （105日）	翌月請求
月刊誌 委託	3ヵ月間	3ヵ月目	2ヵ月間 （60日）	翌月請求
週刊誌 委託	2ヵ月間	3ヵ月目	45日間	翌月請求
長期委託 6ヵ月以内	（例） 7ヵ月間 （8ヵ月目請求）	9ヵ月目	6ヵ月間 （7ヵ月目請求）	8ヵ月目
常備寄託 1年以上	（例） 1年1ヵ月間 （1年2ヵ月目請求）	1年3ヵ月目	1年間 （1年1ヵ月目請求）	1年2ヵ月目
延勘定 買切り扱い	（例） 3ヵ月延勘 （3ヵ月目請求）	4ヵ月目	3ヵ月延勘 （3ヵ月目請求）	4ヵ月目

版社と取次会社との委託期間が6ヵ月であるからといって、書店に6ヵ月間置いていたのでは、出版社に本を戻す期間がなくなりますので、3ヵ月あまりにしておく必要があります。その一方で、請求については委託販売期間と分離されています。書店には新刊委託本でも取次会社から配本の翌月に請求が行われています。

b．注文品の取引

　注文には読者からの注文、つまり客注と書店の見込み注文（見計らい注文）とがあります。注文品は本来買切り（返品のない取引）ですので、出版社が取次会社に注文品を出荷すれば、その月に締めて、翌月の精算時には取次会社から代金が入ってきます。出版社にとっては資金繰り上、とても重要な取引です。

　ただし実際には、新刊委託品と注文品の関係は微妙です。書店は新刊委託で入荷した冊数で足りない場合や売行きが好調な本については、追加注文を出します。注文自体は出版社にとっては喜ぶべきものです。でも読者は、ある書店に行って求める本がなかった場合には、別の書店に行き、目的の本を購入したりします。最初の書店に追加注文品が届いた時には、その書店にとって対象になるお客さんは既にいなくなっているということも考えられます。

　また、書店側で売れると思い、追加注文した分が結局売れないで見込み違いに終わる場合もあります。このように需要と供給のミスマッチが起こり、注文品にもかかわらずそれが返品になるということはよく起こります。それが新刊委託期間内であれば、出版社は戻ってくる本が委託品の返品なのか追加注文品の返品なのかわかりません。委託取引の返品が多くなる原因のひとつにもなっています。注文品の取引量は、実売ベースで全体の60%程度と推定されます。注文品は原則買切りなのですが、実際には30%くらいは返品されているようです。

　注文品の流通コストは高くつきます。新刊委託のように一定のまとまりで流通している商品に比べて、注文品は1点1点個別的に取引を記録し、1冊ずつに対応した流通システムが必要になるからです。

　現在、大手取次会社では物流整備への投資が進み、注文品の仕分け、返品の仕分けなど、今まで人的労働に頼ってきた部分が自動化されつつあります。

　注文品の取引の変形に「延勘」取引があります。延勘とは延勘定の略で、勘定（精算）を繰り延べる取引のことを指します。取次会社と出版社の間で事前に契約をして〇ヵ月延勘と決めたりします。現在では、取次会社の流通倉庫に在庫品として出版社が納入する商品の取引条件に使われることが大半です。

c. 長期委託の取引

　長期委託は、シーズンごとに出版社が自社の本をセットにして販売したり、同ジャンルの既刊本を取次会社が出版社から集め、セットにして書店へ流通、展示・販売してもらう形態を取ることが多く、それらを4ヵ月や6ヵ月といった期間を設定して委託販売する制度です。

　長期委託での販売は、原則補充をしないで売り放しにして終わりにします。6ヵ月など長い期間のものは、補充する場合もあります。

d. 常備寄託の取引

　全体の取引量はわずかですが、出版業界を支えている重要な制度です。これは、出版社が書店と直接契約して、書店に複数の既刊本を1年ないし2年預けるという制度です。常備寄託によって預ける本を常備品と呼んでいます。常備品は請求が立たないため、書店は安心して陳列することができ、資金繰り対策上も有効な商品になっています。出版社にとっては、新刊書でいったん返品され、その後注文の少ない本でも、この制度で再び店頭に並べられるメリットがあります。

　常備品は預かる期間が1年であれば、1年を迎えた時点で引き上げられ、新しい銘柄によってセットされたものと入れ替えになります。

　常備品は陳列見本のようなもので、その商品をお客様が購入すれば、書店は売れた本を補充することが決まりごとになっています。その補充された分だけが出版社の売上げになります。書店にとっては常備品がよ

く回転してくれることが、売場の効率を高めることにつながります。

　とは言っても読者数が限られ、採算に乗りにくい専門書などの高価な本は、1年に何冊も動くものではありません。しかし、社会に有用な学術書や特定分野の専門書を書店が常備することは、商品構成を豊かにし、社会的にも大きな意味を持ちます。このような点からも専門書出版社はこの制度を特に重要視しています。

e．スリップ（短冊）

　スリップ（短冊）についてまとめておきます。

　書店の店頭で販売されている本には、スリップと呼ばれる細長い短冊型の紙がはさみ込まれています。お客様が本を購入するときに、レジカウンターでスリップは抜かれます。

　スリップは出版社が製作して製本のときにはさみ込みまれます。本によってスリップの色を変えたりしますが、それは後で集計や分類をする場合に商品の判別をし易くするためです。

　スリップは2つに折られていて、半分は売れた本を補充するための注文票として使われ、あとの半分（売上スリップなどと呼んでいます）はどのような本が売れたのか、後で集計・分析するためのデータとして使われていました（現在はPOSレジスターがその役目を担っており、出版社の中にはスリップを廃止している社もあります）。

　この基本スリップのほかに、常備寄託用スリップなどがあります。常備寄託用スリップには通常「トーハン」とか「日販」など、その書店の取引取次会社の名前が印刷されています。

　常備寄託の本（常備品）には、新しい取引が加わったということで、以前から入っている基本スリップのほかに、常備スリップをもう1枚、都合2枚のスリップがはさみ込まれています。店頭でその本が売れた場合には、両方ともレジカウンターで抜かれます。出版社はいずれのスリップが送られてきても出荷をします。

　新刊と違って、書店で常備品が1年間、2年間で売れるのはせいぜい数冊程度です。その間、常備スリップが行ったり来たりするごとに、そ

の本が何回転したかわかるように、スリップの裏側に売れた日の日付印を押したり、トーハンや日販など大きな取次会社では、補充出荷するたびにスリップが新しく発行され、自動的に補充回数が記録されるようになっています。

　長期委託のスリップも、おおむね常備スリップと同じような仕組みで扱われていると考えて良いと思います。前にも言いましたが、長期委託では売れた本の補充をしないのが原則です。

　ただ、6ヵ月などの長い期間のものは、特別のスリップを入れて補充注文する場合もあります。その場合には常備品と同じように、新刊の基本スリップのほかに、長期委託用のスリップをはさみ込みます。

　書店店頭で基本スリップだけしか入っていない本は、新刊書か書店が補充注文した本です。したがって、2枚のスリップが入っている本は、常備寄託か長期委託の本と考えて良いでしょう。

f.正味
しょうみ

　流通取引条件には取引形態や販売期間のほかに、商品をいくらで納めるかという正味の問題があります。

　正味には取次会社が出版社から仕入れる正味（出版社が本体価格の○○％で取次会社へ卸すこと。入り正味、版元出し正味などと呼んでいます）と、取次会社から小売書店に販売する卸正味（出し正味と呼んでいます）の2つがあります。

　前者については、長年にわたる個々取引の積み重ねによって極めて複雑なものとなっていましたが、出版社別一本正味と定価別正味を軸とする新正味制の実施（1970年）以来、ある程度簡素化されつつあります。

　現在では、比較的歴史のある出版社の版元出し正味は本体価格の69〜73％が最も多いといわれ、これに取次のマージン8％前後を加えて書店への卸正味が決定されています。

　出版業界の正味体系は、売上マージン制に基づいています。販売冊数に対して出版社―取次会社間、取次会社―書店間で当初決めた正味が適用されます。

本来ならば、取引の形態や取引の数量によって正味体系が違ってもおかしくはないと思われますが、出版業界の流通取引は売上マージン制一本で運用されています。売上マージン制の下では、売れずに返品されたものについては、取次会社のマージンはゼロであり、返品が多くなれば取次会社の経営は当然悪化します。

　取次会社は 1949 年、現在の事業形態に改組して○○出版販売株式会社と生まれ変わりました。自らの責任で仕入・販売を行うか、仲立ち業を行う販売会社になったと解釈されています。このときから出版社は、商取引の上で委託販売を書店にではなく、販売会社に依頼することになったと理解できます。

　販売会社となった取次会社が自らの判断で出版物を積極的に仕入れ、販売に力を入れて、より一層の拡販を図れば良いわけですが、現状の取次会社の仕入機能は、出版点数の増加による委託品の受け入れ処理で精一杯と言えます。

　その一方で、取次会社が出版社の生産物を社会的な見地から、ある程度仕入に応じてくれている現状は、制約があるにせよ出版社にとってありがたい存在であることも否定できません。

　いまだから笑って言えることですが、筆者が昔、取次会社と雑誌の部数交渉にあたっていたとき、仕入部数、返品率を巡って議論になりました。取次会社の仕入窓口の方はしっかりした方で、理路整然とこれ以上の数を仕入れることはできないと言い、お互いが平行線のままになったことがあります。

　そのときに私も若気の至りで、「あなたの会社は販売会社ではないですか。私どもでお願いした出版物の返品率がなぜこんなに高いのか、どのような販売努力をしていただいてこのような返品率になったのか、逆に聞かせていただけないか」と、普段取次会社の方が言う台詞を私の方が言ってしまいました。相手の方も返答に困られ、気まずい雰囲気が流れた記憶があります。

　販売会社へ脱皮した現在の取次会社の仕入れ力や販売力に期待して正味体系を考えるべきなのか、それとも優れた物流機能と金融機能に重き

を置いて正味を考えるべきなのか、議論のつきないところです。

5．出版社のマーケティング

　マーケティングとは、「自社を取り巻く環境や、読者の様々な欲求が渦巻く市場に対して、適切な対応をしていく活動」だと言いました。ここでは、市場に自社商品やサービスを適応させていくための具体的な営業政策を考えてみたいと思います。

(1) 初版部数の決定

　新しい出版物の企画を決定するにあたっては、まず初版部数を決めなければなりません。出版社ではその企画内容の検討と同時に、初版部数決定に際していくつか調査をすることがあります。

　まず、製作原価です。何通りかの想定初版部数に対応した、それぞれの原価率をはじき出します。原価率は低い方が良いわけですから、紙代、印刷代、製本代など直接製作にかかわる費用は、該当する業者から見積りを事前に取るなどして、コストを切り詰める努力をすることが必要です。

　原価率の考え方は出版社によって違います。初版部数すべてを完売することを前提にはじき出す出版社、一定の売上率を前提にして原価率を設定する出版社などまちまちです。

　次に類似本の販売動向調査を行います。例えば、これから刊行する本の著者が、過去にも出版実績がある場合には、その実績を次のような点から調査します。

　①本の形態（上製本、並製本、判型など）
　②定価
　③発行日
　④初版発行部数と販売実績
　⑤宣伝・パブリシティ実績

　過去に自社でその著者の本や類似の出版物を刊行していれば、自社内での調査が可能になりますが、自社にとって初めての分野、著者である場合には、他社刊行の類似企画を調査しなければなりません。

　他社本の実績を調べるのに昔からよく使われる手法は、書店に出向いて、ベテランの書店人に意見を求めたり、その書店での販売状況を聞いたりするやり方です。

　また、取次会社の仕入係に尋ねてアドバイスをもらうこともあります。ベテラン営業員になると自らの人的ネットワークによって、他社から情報収集してくる場合も見受けられます。

　これらの人的調査に加えて、最近書店の POS データが、初版部数の決定に大きな力を発揮するようになりました。例えば紀伊國屋書店では Pub Line と呼ぶシステムを構築して、チェーン各店の POS データを翌日にインターネット経由で契約出版社に有料で開示しています。

　この Pub Line では当該出版社のデータだけを開示するのではなく、紀伊國屋書店チェーンで扱っている全出版物についての販売データを契約出版社に開示しています。したがって契約出版社であれば、他社の出版物の販売実績をだれでも見ることができます。

　ある出版物について書店ルート全売上げに占める紀伊國屋書店全店の販売シェアを、例えば一般書であれば 3 〜 5％、専門書であれば 10％などと仮定すれば、その出版物の全国での販売数が推定でき、初版部数決定の際の有力資料となります。

　また大手取次会社では POS 導入書店の仕入数、販売数、数などがわかるシステムを構築し、効率的な販売を後押しするデータを提供する体制を整えています。これらのデータを活用することによって、初版部数の適正化に向けた体制を整えることが可能となっていきます。

(2) 配本

　通常、新刊書を書店へ配本するにあたっては、どのような方法で行うのかを取次会社と相談します。配本の方法によって本の仕上がりは全く違うものになり、その「良し悪し」が本の死命を制すると言っても過言

ではありません。配本の方法には大きく分けて2通りあります。

a. 取次会社主導型配本

　これは取次会社が蓄積している自社帳合（自社と取引口座を有していること）の書店データを基に配本する方法です。そのデータには、書店に関する次のような内容が含まれています。

　　①書店の売上規模
　　②分野別構成比
　　③返品率　ほか

　蓄積されている書店のデータは取次会社によって異なり、その内容が出版社に明らかにされることはありません。出版社は取次会社がどのような基準で配本をしているのか、実際のところはわかりません。新刊書は人間と同じように何ひとつとして同じものはありません。取次会社は様々なパターンを組んでいますが、これらのデータもあくまでも配本のひとつの目安ということになります。

b. 出版社主導型配本

　出版社が自ら販売データを蓄積して、それに基づいて配本する方法です。出版社によっては、初版部数別、分野別、書店別にいくつかのパターンを組み、配本しています。配本パターンを組むにあたって、参考にするデータは、書店での自社出版物販売実績です。販売実績は書店から回収されたPOSデータや売上スリップの蓄積によって把握できます。
　この他、特定の書店から発行前に受注した予約分なども配本に反映させることもあります。出版社主導型配本方式は、出版社が長年にわたって蓄積した自社データを活用したものであり、効率販売、返品率減少を目的にしています。実施するには取次会社との綿密な打ち合せ、調整が必要になります。

(3) 発売後売行き調査

　出版した本がどれだけ売れているのか、あるいは売れていないのかを調査します。もし売れていれば増刷の準備が必要になります。売行きを調査するには次のような方法があります。

　　①書店訪問調査
　　②電話聞き取り調査
　　③ FAX 調査
　　④書店 POS データ調査
　　⑤取次会社販売調査
　　⑥売上スリップ蓄積データ調査

　現在では POS レジスターを導入する書店が増え、販売データを紀伊國屋書店の Pub Line や、取次会社のネットワークなどを通じて素早く入手できるようになりました。

　以前は定期販売調査書店を決め、一定の調査費を支払い、訪問や電話、FAX によって調査したり、あるいは宅配便によって売上スリップを回収して、データ収集をしていましたが、最近では POS データの収集をメインにして売行き調査を行うことが多くなりました。

　取次会社でも販売調査を行います。自社帳合の書店での商品入荷数や実売数などの販売データを、Web 上で見られる形で提供しています。書店別に細かく調査する場合には有効な資料となります。

(4) 増刷（重版）

　新刊書の売行きが好調で、当初発行した部数では足りなくなり初版本と同じ原版で再度発行することを増刷（ぞうさつ、ましずり）、あるいは重版と言います。

　本の奥付に 1 版 2 刷、1 版 3 刷などと印刷されている場合があります。これは初回の版を使って、2 回、3 回と増刷しました、という意味です。これに対して 2 版 1 刷などと奥付に表示されている本は、初めの原版

を改訂して新しい版で印刷しました、という内容を表わしています。

　新刊書のひとつの目標は増刷することです。増刷がかかると、初版本製作時の編集費、写植・製版代、デザイン料などがなくなりますから、利益率が高まります。増刷をすれば出版社は初版本以上に利益が出ることになります。

　増刷にあたっては、いくつかの調査と手続を必要とします。

ａ. 販売データの収集

　増刷できるかどうかを判断する材料として、まず書店の販売データを集めます。集め方については「(3) 発売後売行き調査」(P.59) で述べたことと基本的には変わりがありません。

　肝心なことは、単純に多くの書店データを無目的に集めて「売れている」「売れていない」と眺めることではなく、増刷ができるかどうかを判断できるように販売データを集めることです。そのためには、それに応じたデータの集め方が必要になります。

　書店販売データは、書店の定点調査（同じ書店で調査をすること）、定時調査（発売後一定の日の売行きを調査すること）および定性情報調査（例えば書店立地、購買客層などの違いによって、売行きに大きな特徴が見られるかどうか）など、目的別に集めます。

　また、社内には当該新刊書の書店からの注文状況、現在庫状況のほか、過去から蓄積してきた同著者既刊本売行きデータ、同ジャンル本売行きデータなどがあるはずです。これら社内外のデータを集めて、初めて増刷するための態勢が整うことになります。最近では販売データの収集にあたっては、スピードの点から書店の POS データを集めることを優先しています。

ｂ. 販売トレンド予測

　次のステップは定点調査、定時調査、定性情報調査を組み合わせて、今後の売行きの傾向（トレンド）を予測することです。データはただ集めても、それは単なる数字のかたまりでしかありません。加工、分析し

て初めて意味を持つデータに変身していきます。

その加工、分析の基本となる作業が「比較」です。そして系統立てた「比較」を可能にさせるのが、コンピュータ技術です。現在では書店や取次会社によって、書店店頭の POS データが翌日には配信される時代になり、それを活用することで増刷の精度・スピードが昔よりも格段に上がるようになりました。

このコンピュータ技術と POS データを組み合わせることによって、いままで「勘」に頼っている割合が多かった増刷にも、科学的な統計分析の手法が生かされるようになってきました。

図表Ⅱ－7（P.62）を参照してください。

横軸に発売日からの経過日数、縦軸に POS 集計店の累計販売冊数を取り、コンピュータで加工して新刊書 A と類書 B、C とを比較したグラフです。

このグラフから A という新刊書は発売後の同時点で類書より売れているのか、売れていないのかという情報を得られるほかに、今後A銘柄がどのような販売トレンドを描くかという予測を立てることもできます。

POS データ集計店の販売総数が全国の書店販売数のうち何％を占めるのか、自社の出版物の傾向（一般書、実用書、専門書など）に照らし合わせて占有率を想定します（占有率は過去の書店販売データの蓄積から分析し、推定します）。その POS データ集計店の想定占有率から全国の推定実売数を割り出すことができます。

また広告・パブリシティの予定が計画されていれば、それらを勘案して今後どのくらいの部数を増刷すればいいのか、過去のケースに照らし合わせておおよその計算もできます。現在では、パソコンの Excel レベルで十分データを加工できるようになりましたので、POS データの収集・蓄積に努力して様々な分析を試みてください。

図表Ⅱ－7　売行き推移表（ 売上げ 180 日）

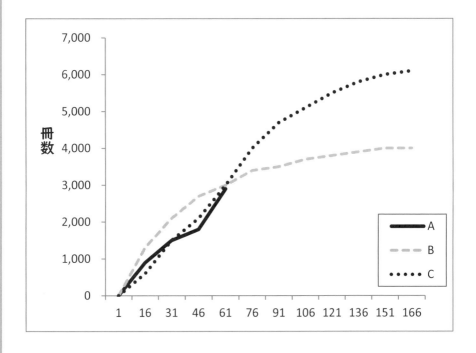

c. 増刷部数決定

　増刷をすればするほど出版社は利益が出るわけですから、今後確実に販売が見込めるのであれば、1回当たりの増刷部数を多くした方が、何回も増刷をかけるより製作原価率は低くなり、利益率も向上します。

　とは言っても、現在のように販売環境が厳しく、返品が生まれやすい状況の中では、多少製作原価が掛かっても確実な販売が見込め、在庫が過剰にならない程度の増刷部数をこまめにかけることの方が適切と言えるでしょう。

d. 増刷出来日の確定

　増刷部数を決定したあと、それが何日後にでき上がるのかという出来日の確定は、販売上とても重要なポイントです。ここでも販売予測分析が生かされます。

　現在の市場の流通在庫があと何日程度でなくなるのか、そのためには何日後にどのくらいの部数を増刷して市場に送り出したらいいのか、計画的な増刷および出来日の確定が大きな意味を持ってくるのです。

　ただし、いまの厳しい販売環境下では、増刷した分が売れる保証はなく、書店への販売促進や広告、パブリシティと連動させていくことが必要です。

e. 増刷分配本計画

　増刷部数を決定し、出来日を確定させることと並行して、増刷部数をどのように使うのか、決めなくてはなりません。自社に来ている書店や取次会社からの注文を適正に調整して出荷するほか、取次会社の流通倉庫への搬入、売行きが良ければ、取次会社と相談して書店への再配本を計画したりします。

(5) 広告・パブリシティ計画
a. 広告

　新刊書や既刊書を売り伸ばすために、出版社ではいろいろな媒体を

使って広告活動をしています。広告予算の設定方法は、科学的なものから経験的なものまで、各社によって考え方はまちまちです。

　広告効果をどのような点から測定するのかは、これも各社の考え方、媒体の特性、掲載商品によっても異なります。ブランド構築、イメージ形成、先行投資などの観点から実施する広告もあります。

　数十万部単位で発行する定期雑誌や創刊雑誌、書籍ではベストセラーを狙う場合などに1点の出版物を全国紙などに大きなスペースで広告することがあります。

　また、費用と売上げとの兼ね合いで書籍を何点かまとめて掲載する工夫も見られます。新聞の購読数の減少から、交通広告やインターネット広告も盛んに行われるようになりました。

　読者が限定される専門書などの広告については、それらの読者を対象にした雑誌、学会誌、ミニコミ誌などへの掲載のほか、自社で制作したチラシ、パンフレットを取次会社、書店を通じて、あるいはダイレクトメールによって対象読者へ配布したりしています。

　最近ではメールマガジンの発行や、人気のWebサイトに広告を出したり、自社ホームページ、オウンドメディアでの情報発信、SNSの利用などによって告知活動を行う出版社も増えています。

b. パブリシティ

　パブリシティとは一般の新聞や雑誌、放送などのメディアに、出版物が記事や情報として取り上げられ報道されることを指します。

　広告は出版社が費用を負担して情報を流しますが、パブリシティは原則無料です。

　その他、著者自身がSNSやYouTubeを通じて発信したり、著者の講演会や対談など、著者と読者との接点をつくるオンラインイベントも増えています。

6．出版社の販売促進活動

　ここでは販売促進活動を書店ルートに絞ってまとめてみます。

書店販売促進

　出版社の販売促進（販促）活動の中で、重要なもののひとつが書店販売促進です。

　近年、書店販促が今まで以上に脚光を浴びています。背景には新刊点数の増加と販売環境の厳しさがあると考えられます。書店店頭は日々取次会社から送られてくる新刊書であふれ、売れない本は即日返品の憂き目にあっています。

　自社出版物を１日でも長く、もっとも効果的な場所に陳列、販売してもらうために、出版各社は書店訪問を行い、情報提供、受注促進を行う必要性に迫られているのです。

　また手書き POP など、書店の売るための工夫がベストセラーのきっかけになる事例もあり、出版社にとって書店人との情報交換は非常に有益なものと言えるでしょう。

　書店訪問に際していくつかの留意点を挙げておきましょう。

a．書店訪問目的の明確化

　自社出版物を販売促進する前に、まず「だれが本当のお客様なのか」という点をはっきりさせておきましょう。

　直接的には出版社にとってのお客様は、書店およびその担当者や店長などになるわけですが、それは表面的な見方です。

　私たちにとって本当のお客様とは読者です。私たち出版社の営業員は書店の担当者をサポートして、共通のお客様である読者に対して販売促進をしなくてはなりません。

　ややもすると書店から自社本の受注をして販売促進活動を終わりにする営業員が目立ちます。いくら書店から注文をもらっても、実際に読者

の購買に結びつかなくては、その出版物は返品となり、出版社にも書店にも利益をもたらしません。したがって出版社の営業員と書店の担当者は読者を話題の中心に据えて、販売する部数や陳列方法を考え、情報の交換を行う必要があります。

　読者ニーズを掘り起こし、読者の購買を促す、そのために書店をサポートしていくという書店訪問の目的をまず確認しておきましょう。

b. 入念な事前準備

　書店訪問を実りのあるものにするためには、当然準備が必要になります。

　ある大型書店での話ですが、その書店には1日50人の出版社や出版社から販売促進を請け負っている販売代行会社の営業員が訪問するそうです。ひとりの営業員に対応する時間を平均5分としても、合計で250分、約4時間を書店側は費やすことになります。

　その時間と労力は莫大なものです。相手の身になって考えれば、営業員はいかに効率よく、適切に自社および自社出版物をアピールできるかが求められていることになります。

　事前に準備することを列記してみましょう。

①自社出版物の内容把握

　当然のことですが、自社の製品である出版物の内容を把握しておくことです。発売前の新刊書であれば、基本的には製本前の校正刷り（ゲラ）を読み、アピールすべきポイントを訪問する書店担当者に簡潔に説明できるレベルにまで高めておく必要があります。少なくとも「目次」や「まえがき」「あとがき」くらいは読んでおきましょう。

②データ整備

　訪問書店に関するデータのほか、新刊書の著者の実績、類似本の状況を収集、分析しておきます。理想的には会社で書店台帳を作成し、自社が訪問すべき全国の書店のデータを一覧できる状態にしておきたいもの

です。

　市販されている書店のデータブックもありますが、自分たちの足で集めた情報こそが販売促進の役に立ちます。書店台帳には書店住所や分野ごとの担当者から始まって、過去の販売実績や自社出版物の陳列状況など、自社の営業員が代わっても引き継げるように社内で共有化しておくことが望ましいと言えます。

③訪問店分析

　皆さんの会社では既に、自社出版物の書店販売データを継続的に収集・蓄積しているかもしれません。訪問店分析は、以前は売上スリップを書店から回収し、集計してデータとして蓄積していましたが、最近では書店の POS データを入手することができるようになっています。これらの販売データを集計、加工し、分析して、新刊書の配本に生かしたり、販売促進用データとして活用します。

　訪問対象となる書店の分析には、その書店で過去に「何が」「いくつ」売れたのかという静態的な分析や販売実績を基にした新刊書の適正配本、目標販売部数の設定などといった動態的な分析があります。その他に競合店や同規模店との比較分析を通して、訪問書店の販売余力などを提示することもできます。

　このようなデータを把握した上で訪店し、担当者や店長に説明できる状態にしておくことが必要です。

c.望ましい書店販売促進

　書店の方たちと話をしていると、よく出版社の良い営業員と悪い営業員の話題が出ます。共通して挙げられる悪い営業員の例は、自社の出版物しか話題にせず「何冊入荷したか」「何冊売れたか」「在庫が少なければ注文をください」というパターンです。

　では、良い営業員とはどのような人でしょうか。それはまず、自社の出版物に関する客観的な情報を提供できる人です。売れているのかいないのか、売れているならどのような書店で、どのような売り方で、どの

ような人が購入しているのか、そしてなぜ売れているのか、その背景を説明できる人です。

　次に、他社の本でもどのような本が、どのような書店で売れているのかなど、他出版社や書店を含めて幅広い情報を持っている人です。

　さらに売れない時代の中でどのような売り方、どのようなテーマ、切り口で読者にアプローチをしていけばいいのかなど、苦しい時に一緒に問題の解決方法を考えてくれる人が好感を持たれます。

　結局、相手の身になって考え、読者を共通のテーマにして販売協力のできる人が良い営業員の必要条件と言えるでしょう。

Ⅲ．これからの出版営業

1．編集優位のプロダクトアウト方式からの脱皮

編集・営業の一体化

　学生の就職希望先で常に上位に挙げられてきたのが出版社です。学生にとっての花形業種といえます。彼らが描く出版社のイメージは、給料が良くて、著名人と知り合いになれて、取材でいろいろな所に行けて…など、とても華やかなもののようです。

　実際には高い給料を払えるような出版社はごく一部に過ぎません。学生が出版社で働くということは、イコール編集部門に配属される（編集者になることとは違うようです）こと、と考えている場合が多いように思います。

　出版社の営業部門については、ほとんど理解が及ばないのではないでしょうか。なにを隠そう、かく言う筆者も入社の時には出版営業とは何をするところなのか、明確なイメージを描けてはいませんでした。皆さんの場合はいかがでしょうか。

　私見ですが、出版社の仕事が最も面白くダイナミックに感じられるのは、自分で本を作り、自分で売り、自分でお金を回収するというプロセス全てに関わっていられる時だと思っています。

　自分が著者を見つけて作った本が読者に受け入れられるのか、自分で販売してその反応をダイレクトに肌で感じ、売れなければまたお金を貯めて次の出版企画にチャレンジする、これが出版の原点だと思っています。いま大出版社と言われる会社も創業の時にはひとり、あるいは数人で始めたところがほとんどです。

　3,000を超える日本の出版社のうち、資本金が 2,000 万円以下、従業員が 10 人以下のところがそのうち半数以上を占めます（『出版年鑑 2018 年版』）。そのような小さな出版社では、編集も営業もなく全員参加型の出版業を営んでいるのではないかと思います。

出版社が大きくなり編集部や営業部が組織化され「わたし作る人、あなた売る人」と分業化されていくにしたがって、出版社の力は落ちていくのではないかと筆者は思っています。

　読者や売場のニーズと乖離した、ただ編集部の作った本を市場に流すプロダクトアウト型の出版は限界にきています。編集と営業の垣根を取り払い、出版の原点である作り手と売り手が一体となり、市場、読者が欲しい出版物を提供していく仕組みを作ることが、出版不況といわれている現状を打破していく最も有効な手段だと考えています。

２．著者と読者を見据えた営業

(1) 著者の思い、作品の熱を伝える営業

　出版界を外から見ている人がよく口にする言葉は、「出版界では著者と読者を忘れている」というものです。作り手の思いを読者に伝える努力を怠っているということだと思います。

　出版する本について一番わかっているのは、言うまでもなく著者です。その次に理解しているのは、その本を担当した編集者です。営業に携わる者は普通、編集から内容の説明を受け、それを取次会社や書店の担当者に伝え、取次会社、書店の担当者はそれに基づいて仕入や販売をします。このようなプロセスを通して、著者が産み出した作品は著者から離れていくに従って、その熱が冷めていく可能性をはらんでいます。

　昨今、本が売れない原因のひとつに「その本を企画・制作した編集者が、本を自ら売ろうとしないこと」を挙げる業界関係者もいます。出版社は著者の思いや作品の持つ熱をいかに冷やさないで読者に伝えていくか、という点に心を砕いていかなければなりません。

　例えば小説、エッセイなどの分野では、キーになる書店の担当者に本の校正刷り（ゲラ）を読んでもらい、内容をより深く理解してもらった上で販売促進を行う出版社もあります。過去にこのような形で書店担当者から作品に対する共感が生まれ、ベストセラーにつながった本もあります。また書店外商部の方と出版社の営業員が一緒に外商部の得意先に出向き、直接企画内容を説明して購買に結びつけようとする出版社や、編集者が大学の先生を訪問してテキスト採用を働きかける出版社もあります。

　今後、著者が作品について直接読者に語りかけるトーク・セッションの開催やアメリカで見られるような出版社と著者が一緒になって発売前に全国の書店などを回るオーサーズ・ツアー（著者巡回）の実施などは、出版点数が増える中で著者の思いや作品の持つエネルギーを読者に伝えるひとつの方法として日本でも広がっていくことと思います。

(2) 読者のニーズに基づく営業

　書店を訪問する出版社の営業員が陥りやすい罠は、自社出版物の受注をして売上げが上がったと錯覚してしまうことです。

　現在の仕組みでは書店に販売すれば、読者が購入しようがしまいが、出版社としての売上げは立ちます。でも、それは本当の売上げではありません。

　読者の購入があって本当の売上げになります。出版社も苦しい時には注文を積極的に取り、当面の資金繰りを確保しようとします。でも、無理やり押し込んだだけの本はすぐ返品になり、出版社はその返品の穴埋めのためにまた押し込み販売をしなくてはならないという、自転車操業的な経営に陥る可能性をはらんでいます。

　営業担当者は、訪問書店のデータ分析を行った上で、その書店の実力を把握し、それに応じた適正な仕入数を算定します。それを基に販売・陳列方法の相談を書店の担当者と行い、目標の販売部数を設定していくようにします。そのようにして初めて根拠のある販売促進が可能になります。販売促進の中心に常に読者を置くことを意識しましょう。

(3) 読者を発掘する4つの戦略

　企業の成長は自社の製品とそれを販売する市場との組み合わせによって、ある程度推しはかることができます。

　企業が成長するということは、簡単に言えば自社の顧客を増やし、より多くの商品・サービスを購入してもらうことです。具体的には①新しい顧客を獲得する、②現在の顧客により多くの自社商品を購入してもらう、③現在の顧客に購買頻度を増やしてもらう、④新しい商品・サービスを開発する、⑤新しい販売ルートを開拓する、という方策などが考えられます。アメリカの経営学者イゴール・アンゾフはそれを成長ベクトルと呼び、**図表Ⅲ－1**のように製品と市場の組み合わせによる4つの戦略を提示しています。

　出版社に当てはめて、製品である出版物と市場である販売ルートの組み合わせで考えてみたいと思います。

①市場浸透戦略

　読者に自社の出版物を、現在の市場（例えば書店です）で、いままで以上に購入してもらおうという戦略です。購入の頻度や量を増やしてもらうほか、競争相手の出版社の読者を自社に引き入れたり、いままで自社の出版物をこの販売ルートで購入したことのない読者を開拓することも含まれます。

図表Ⅲ－Ⅰ　成長ベクトル

製品 市場	現在の製品	新しい製品
現在の市場	市場浸透	製品開発
新しい市場	市場開発	多角化

②市場開発戦略

　市場開発は、自社の出版物をいままで扱っていなかったルートで販売したり、これまで販売していなかった地域に販路を拡大することです。また、既存製品の仕様を多少変えてこれまでとは違う読者対象の獲得を目指すことです。例えば単行本を文庫化するという戦略もこれに該当します。

③製品開発戦略

　製品開発とは、現在の市場に新製品を導入し、成長を図ることです。例えば雑誌の付録にブランド品を付けたり、分冊百科の刊行などを販売する方法などが当てはまります。この場合には、出版物の概念からはみだすものも含まれます。

④多角化戦略

　これは自社にとってまったく新しい分野の出版物を、全く新しい市場で販売していくことです。既存の販売ルートや出版物を利用できない分だけ、相乗効果が低くリスクが高くなります。

　これまで出版界は、取次・書店ルートをメインにして、出版社、取次会社、書店の三位一体で成長してきました。

　市場浸透戦略によって取次・書店ルートでの販売を深化させながら、時にはこのルートに先ほど挙げたような新しい分野の出版物を投入したりしてきました（製品開発戦略）。

　また、取次・書店ルートの中で、仕入方法、販売方法、陳列方法、流通改善、情報化など様々な改善も進めてきました。今後もこのルートは、出版界の主要な販売ルートに位置付けられていくことは間違いないでしょう。

　その一方で、読者のニーズやライフスタイルの変化を考えた時、新しい市場（販売ルート）を開拓していく市場開発戦略や、いままでにない発想による多角化戦略の検討も必要になっていくでしょう。

3．データに基づく営業

(1) 顔と経験による営業からの脱皮

　ひと昔前、出版業界の営業担当員の花形は"顔のきく営業マン"でした。それに強大なブランドがあれば鬼に金棒でした。全国で開かれる取次会社、書店の会合に出席し、一緒にゴルフをやって酒を酌み交わしながら顔を売る、自社の出版物の販売にあたってはその顔でお願いするというスタイルが営業担当員のあるべき姿と考えられていた時期がありました。

　筆者もそのような方たちを端で見ながら、「あのようにならなければいけない」と思ったものです。営業は最後には人と人の信頼関係で決まる、というのは間違いありません。その意味で膝を突き合わせお酒を飲んだりしながら付き合いを深めていくことも必要です。

　ただ業界が右肩上がりで、出版社、取次会社、書店の3者が順調に成長を続けていた時代であれば、花形の方が「ひとつよろしく」的なスタイルで、商品をお願いしても市場には吸収する力がありましたが、時代は変わりました。お付き合いで商品を受け入れ、それをさばいていくだけの余裕が市場にはなくなっています。

　業界のマイナス成長が続く中で、過去の成功体験が通じない未踏の地にわれわれは踏み出しています。読者のニーズを基にした商品開発、販売のデータ分析、市場予測、販売方法の検討を重ね、取次会社、書店との間で綿密な打ち合せを行った上で懇親を深めていかなければ、より強固な販売連携、信頼関係を築いていけない時代になっています。

(2) セールス重視からマーケティング重視へ

　売上げ優先のプッシュ型販売方法（自社製品を市場に押し出していくこと）がセールスであるならば、マーケティングとは市場（読者や書店）の要望している製品やサービスを供給していくことです。

　いわば市場との調和を図っていくのがマーケティングだと言えます。

セールスとマーケティングとは“似て非なるもの”というよりも“月とすっぽん”の違いがあります。

出版社の中には、毎月ノルマ型の営業で書店からの受注目標を掲げてセールスを活発に行っているところもありますが、市場の要望と離れた過度な販売促進は返品だけを増やすことにつながる危険性があります。

この業界は基本的に委託販売制度に基づいて運営されています。注文品といっても、現実には30％程度の返品があります。売れなければ出版社に戻ってきます。そのような制度で成り立っている業界であればこそ、他業界以上にマーケティングという思考が必要なはずです。

にもかかわらず、この業界にマーケティング感覚が普及しなかったのは、業界が成長していて出版社が押し出したものを吸収できるだけの市場があったこと、委託販売制度の下で売れなければ返品しても良いという安易な販売方法に依存してきたこと、再販制度という定価販売の世界で商売をしてきたため、マーケティングの重要な要素のひとつである「価格」に対する意識が希薄であったこと、などが原因として考えられます。

価格については業界挙げて再販制度の弾力運用に取り組んでいる最中であり、今後出版社のマーケティング手法の優劣が結果に現れてくると思われます。マーケティング思考を身に付けていくためには、営業部門のみならず会社全体がそのような方向に舵をとっていくことが必要です。

すでにお分かりのことと思いますが、マーケティングとは販売だけを考えれば良いわけではありません。販売はマーケティングのひとつの要素に過ぎません。

ここでマーケティングの４つの切り口を提示しておきます。

a. 製品戦略

　①出版物の企画・アイデアの創造を社内でどう産み出していくか。

　②出版物の「 需要分析」「 コスト分析」「 競争分析」

　③他社出版物との差異化

　④出版物のライフ・サイクルの測定

b. 価格戦略
①価格設定方法の検討
- コスト・プラス法
- 読者心理を考慮した設定法
- 競争戦略上での設定法
②再販制度の弾力運用「時限再販」「部分再販」

c. 流通経路（チャネル）戦略
①流通経路の選択（書店ルート、直販ルートなど）
②流通経路政策
③流通経路管理
④取次会社、書店との販売連携
⑤物流管理

d. コミュニケーション戦略
①書店、取次会社への人的販売促進
②広告・パブリシティ・セールスプロモーションの検討

　以上の４つの切り口について、それぞれ検討する項目が山のようにあるように見えますが、出版社では既にそれぞれの項目について日常的に選択、判断、実行をしています。それを体系立てて整理すると上記のようになります。

　ひとつひとつの項目について、皆さんはこれから取り組んでいくわけですが、興味のある方はマーケティング関連の本などで勉強されると、さらに理解を深めることができると思います。

4．コンサルティング営業

(1) 得意先の問題を解決する営業

　取次・書店ルートでの得意先と言えば、出版社にとっては取次会社であり書店です。その中でも日常的に販売促進の対象になるのは書店です。前に述べた通り、出版社の営業担当員の良し悪しは「相手の身になって考えられる」かどうかで決まると言いました。

　相手の身になって考えるとは、どういうことでしょうか。出版不況の中、書店も多くの問題を抱えています。「売上げが落ちている」「お客様が来ない」「お客様が入店してもなかなか購買に結びつかない」などなど、問題はいくつもあります。そのような問題に直面している得意先に対して、自社の出版物にしか目が届かず、自社の出版物の受注しか考えない出版社の営業担当員は、書店にとってはただの「押し売り」としか映らないでしょう。

　これからの営業は得意先と一緒になって、直面している問題を解決していこうとする姿勢を持てるかどうかが重要なポイントになります。これをコンサルティング営業などと呼んだりしています。

　相手の立場に共感でき、困っていることを解決したいという熱意を持てる、1人の人間としての生き方が問われていると言っても良いでしょう。もし今後、あなたが得意先から相談を持ちかけられることがあれば、相手から信頼を獲得するチャンスだと思って全力でその解決にあたってみてください。

　最近取次会社や書店の方で「販売士」などの資格を取得して、業務に生かしていこうとする傾向が見られます。会社として取得を推奨しているところもあります。

　仕入や販売、陳列など、仕事に関わる基本的な決まり事や手法など、資格取得の勉強をしていく過程で身に付けることができます。得意先の仕事に対するレベルに合わせて、出版社の営業員も自己啓発に努めることを怠ってはなりません。

(2)「だれに」「なにを」「どのように」

　書店への販売促進で「相手の立場になって考える」と言っても、具体的にどのように進めるかが問題になります。そのような時に使えるキーワードが「だれに」「なにを」「どのように」です。

　「だれに」とは、読者対象を絞り込むこと、「なにを」とはその書店にとっていま何を売っていくべきなのかを考えること、そして「どのように」とは、どのような方法で出版物を読者に提示し、購買に結びつけていくか、ということです。

　このことによって「どうしたらいいのだろう」という漠然とした問題提起に対して、具体的にポイントを絞っていくことができます。

　書店では自店の商圏や顧客の把握が十分とは言えません。あなたが蓄積したデータを、様々な角度から分析した上で、「だれに」「なにを」「どのように」というキーワードの中で提案していけば、相手の問題解決につながるヒントが見つかると思います。

5. 売上重視から利益重視へ

(1) 売上げだけを追求する時代は終わった

　市場が右肩上がりで業界の販売金額が伸びていた時代には、売上げを伸ばしていくことが全体の利益を押し上げていくことにつながりました。ところが景気、消費環境の悪化からマイナス成長の時代になり、売上げを伸ばそうと思っても、思うようにいかなくなっています。出版社や取次会社、書店などの決算数字を見ても軒並み減収です。このような環境の中での企業経営のポイントは、減収になっても利益の出せる企業体質になるということです。営業担当者にも今まで以上に利益を追求する姿勢が求められます。

　その中でも出版社にとって特に重要な点は、製作原価の削減、返品率の減少、在庫の軽減です。委託販売制度は市場が右肩上がりの時には有効に機能しました。

　出版社から供給された商品を吸収するだけの成長性が市場にあり、たとえ返品になっても書店からの注文、再出荷によって最終的には一定の水準まで消化することができたからです。出版点数もいまほど過剰ではなく、本を丁寧に売るような環境も整っていました。一部において不都合を起こしていても、全体を最適化できる状態にあったと言えます。

　マイナス成長の時代に入り、市場全体の需要が出版社からの供給を消化できなくなりました。書店では、在庫を抱えていても請求額が膨らみ、資金繰りに行き詰まってしまいますから、仕入れても売れそうでなければ即返品ということになります。返品されたものは、再出荷されなければ出版社にとっては不良在庫になり、利益を生まないばかりか管理費用が発生します。運よく再出荷されるとしても、カバーの取り換えなどお化粧直しをするコストがかかります。

　このような時代に営業担当者は市場動向に関心を払い、初版部数の適正化、受注冊数の適正化を通して返品率を削減して効率的な販売に努めることが要求されます。そのことを通して製作原価の削減、在庫の圧縮

などを実現し、会社全体の利益確保につなげていかなくてはなりません。

(2) 出版会計への理解

　決算書の読み方に関する本が売れています。

　景気の低迷から企業業績が悪化し、自社や取引先の実態を正しく把握しておこうとする企業人の意識の現われではないかと思います。いまや簡単な決算書くらい読めなくては、営業担当者とは言えないといったムードも出てきました。若いうちから折に触れて決算書に慣れ親しみ、少なくとも自社の経営がどのようになっているのかを知っておきたいものです。

　決算書はその会社の1年間の経営成績、決算時点での会社の財政状態を表わしています。決算書に基づいて会計処理を行い、会社は国や地方自治体に税金を払います。出版業界は他の業界と違って、独特な流通制度と商品特性を持つ環境の中で取引されているため、このような点を考慮した会計処理が採られています。

　例えば、委託販売制度の下では（会計上は返品条件付販売とされています）、返品による売れ残りの出版物が発生する可能性があるため、陳腐化したものについては一定の基準に従って「単行本在庫調整勘定」の計上が認められています。

　また、事業年度をまたがって返品があることを予想して、出版社への課税に不合理性が生じないように「返品調整引当金」の設定による損金経理が認められています（「返品調整引当金」は、平成30年度税制改正により、2019年3月31日までに廃止。ただし、2030年3月31日までは、10年間の経過措置により段階的な限度額の減少による損金算入が可能、2030年4月1日以降、損金算入は不可）。

　少し難しい話になってしまいましたが、出版会計への理解を深めていくと、無駄な製作部数や増刷、過剰な在庫がいかに会社の利益を圧迫するかということがわかるようになります。日本書籍出版協会では、『出版税務会計の要点』という冊子を作成しています。経理担当者のみならず営業担当者、編集者も折に触れて目にしておくことをお勧めします。

6. 情報化戦略の推進

(1) 営業管理の情報化

　販売や販売促進に付随する仕事に受注、発送、請求、入金という営業管理業務があります。昔はそれぞれの管理プロセスに人が張り付き、台帳にひとつひとつ必要事項を記入し、消し込みを行い、発送についても手作業に頼っていた時代がありました。

　その後機械化が進み、さらに IT（情報技術）の発達により、営業管理の仕事は飛躍的に合理化されるようになりました。最近では出版営業管理の汎用ソフトも開発され、パソコン上でこれら一連の流れを処理できるようになっています。

　いまや営業管理業務はバックヤードの作業に留めておくのではなく、フロントヤード（営業の最前線）の仕事と連動させて戦略的に活用する時代になってきました。

　例えば、現在主要な出版社では受注業務の情報化を進めており、書店・取次会社からの電話注文、読者からの直接注文などをパソコンの画面上で処理しサーバーとつないで、受注部数の調整や受注短冊の自動発行、自社倉庫での集品リスト作成、請求書の自動発行などをネットワーク処理するようになっています。

　今後 IT の活用によって、受注先リストの一元管理を通じた新刊への販促利用、入金管理と資金繰りの連動など、いままでにない戦略性をバックヤード部門が持つようになっていくでしょう。

(2) 流通管理の情報化

　このような出版社の情報化が進展する一方で、出版社の規模の違いからくる情報デバイド（格差）とも呼ぶべき、電算化、情報化への取り組み面でのバラツキが生じてきています。それは営業管理面に限らず流通管理面でも見られます。中小・零細規模の出版社が多い業界にあって、経済面を理由にした情報投資への姿勢の違いが生じることは、当然考慮

されるべきことですが、「本は読者の手に取られて初めて価値が生じる」という前提に立てば、企画・編集内容のブラッシュアップ同様、読者の本への購入アクセスをより簡便で多様性のあるものにしていく必要があると思います。

　読者から注文いただいた本をいかに早く読者の手に届けるか、そのためにどのような取り組みが自社で行えるのか、短期、中期、長期を展望して改善、情報化していくことが求められます。そのことが出版社の信頼感を醸成し、書店での販売、陳列の好意的な取り組みへとつながっていくと考えられます。

　取次・書店ルートでの流通改善とともに自社から書店、読者への注文品直送の取り組み、代金決済のルール化などトータルとしてより円滑で合理的な流通管理体制を構築することが求められます。

　日本出版インフラセンターによる、書誌データ、流通データ、販売促進情報、出版権情報などの一元化を目指して作られた出版情報登録センター（JPRO）は業界を横断したインフラとして活用が進んでいます。

　これらの業界インフラを活用することによって、読者利益の向上に寄与するばかりでなく自社の競争力確保も可能になっていくと考えられます。

7．情報技術が変える出版

　中国で始まった「印刷」は、15世紀中ごろドイツのグーテンベルクによってその技術が発展し、大量印刷の時代が始まりました。その後、印刷媒体は飛躍的な発展を遂げ、新聞、書籍、雑誌は、放送とともに20世紀のメディアの中核となりました。

　情報伝達手段として不動の地位を築いたかに見えた印刷媒体ですが、20世紀末からのIT（情報技術）の発展、インターネットの誕生により、出版の世界では、出版物を電子技術によって製作することや電子メディアで大量の情報を伝達することが可能になり、電子出版という新しい分野が出現しました。

　活字を電子データに置き換えること（デジタル化）によって、編集・製作面では1台の小型コンピュータで、文書の編集、レイアウト、版下作成などを行うDTP（Desk Top Publishing）や電子組版システムが誕生し、商品面ではCD-ROMのようにパッケージ化されたもの、インターネットなどの通信によって情報の内容（コンテンツ）を直接読者へ伝達するノンパッケージ商品などの電子出版物が新しく世に送り出されました。

　その代表的なものが電子書籍です。紙の本が電子化されることによって、読書端末やパソコン、スマートフォンなどにアクセスすれば、いつでも、どこでも読書をすることが可能になります。さらに電子化された本は、紙の本と違って絶版という状態がなくなります。現在はコミックを中心に年々電子書籍の販売金額は伸びています。紙の本と電子書籍の販売金額を合計すれば、出版業界全体の販売金額は落ちていないと主張する出版人もいます。

　営業に携わる者にとっては、特に電子出版物が今後どのように著者、出版社、販売関係者、読者の関係を変えていくのか、マーケティングの面からも押さえておく必要があります。

(1) 情報内容の適時、適量提供体制の構築

　活字が電子化されることによって、本や雑誌に収録されていた内容はインターネットなどの通信技術で「必要な人」に「必要な情報内容」を「必要な時期」に「必要な場所」へ「必要な量」だけ届けることが可能になりました。

　読者、消費者にとっては、自分に必要のない情報まで収録された本や雑誌を丸ごと一冊手に入れる必要がなくなり、情報入手手段が紙媒体中心から、より多様性のあるものに広がってきました。

　自動車用道路地図はカーナビに代わり、グルメ情報、音楽情報、映画情報などもインターネット上で簡単に手に入るようになりました。中学・高校では辞書といえば、電子辞書という時代です。

　デジタル化された「活字」は、劣化することがないため、紙媒体としての本が絶版になった後でも、いつでもデータを取り出し、1 冊から制作・製本できるオンデマンド出版という形も今後普及していくでしょう。

　現象面を見れば、情報の切り売りが可能になってきたということであり、マーケティング面から考えれば、情報の発信者と受け手が直接結ばれることで、販売の形、販売者の業務内容が変容していくことを意味します。

　また、インターネットの普及によっていままで情報を発信してきたプロの著者、出版社に交じって、一般の素人が自らの得意分野についてSNS などを通して自由に情報を発信し、それをだれでも入手できるようになってきています。1 人の人間が読者でもあると同時に著者でもあるという時代がやってきました。

　今後私たちは出版物という概念に、紙に印刷されパッケージ化されたモノだけでなく、IT 活用による情報商品・サービスを加えていく必要があります。

　従来の「まるごと 1 冊」「保存」「プロ」「有料」「所有」という出版物をめぐるキーワードに、「切り売り」「素人」「マッチング」「ただ同然」「利用」というキーワードを加えることで、出版社としての販売の形態、読者へのアプローチも従来とは異なった、より多様性のあるものに変わっ

てきています。

　当然、著作権など権利処理も複雑になるでしょうし、再販制度や委託
販売制度も時代の変化に適した形で運用していかなければなりません。
出版社、取次会社、書店は著者や読者の変化、技術の変化に対応してい
くことが迫られています。

(2) コンテンツ価値最大化への対応

　このような出版環境の変化を考えると、これからの出版流通は「モノ
経済」（出版物流通）から「情報経済」（コンテンツ流通）へ徐々に比重
を移していくことが予想されます。

　かといって紙媒体である本や雑誌がなくなるわけではありません。

　本の持つ特性であるパッケージ性、携帯性、一覧性などは電子メディ
アでは代替できない有用性があります。今後は情報内容やその必要度に
応じて読者のアクセス方法が多様化し、出版社側もそれに対応した商品
開発やサービスの向上に努めていくことになります。印刷媒体と電子媒
体とが共存していく時代になると予想されます。

　電子化された情報は、増刷（複製）コストが紙媒体に比べて極めて安
く、他の情報と結びついた時に（マッチング）、情報の価値は飛躍的に
増大します。私たちは既にそのことをインターネットを駆使することに
よって日常的に体験しています。情報の価値を高める戦略は、モノの価
値を高める戦略とは異なります。

　出版社は企画段階から、持っている情報内容（コンテンツ）をどのよ
うな方法で読者に届けることがその価値を最大限発揮させることになる
のか、そのような視点を取り入れなくてはなりません。

　また営業に携わる者は出版社、取次会社、書店という従来の出版物流
通システムのほかに、著者、読者、新たな販売者を取り込んだ出版流通
を志向する、新しいマーケティングに取り組んでいくことが求められて
いるのです。

新入社員のためのテキスト 2

『出版営業入門』〈第 4 版〉

発行日　　2003 年 3 月 1 日　　初版第 1 刷発行
　　　　　2003 年 9 月 1 日　　〃 第 2 刷
　　　　　2005 年 6 月 1 日　　〃 第 3 刷
　　　　　2008 年 3 月 3 日　　改訂版第 1 刷発行
　　　　　2010 年 3 月 15 日　 〃 第 2 刷
　　　　　2015 年 3 月 25 日　 第 3 版第 1 刷発行
　　　　　2021 年 4 月 30 日　 第 4 版第 1 刷発行
　　　　　2022 年 5 月 31 日　 〃 第 2 刷
　　　　　2024 年 5 月 20 日　 〃 第 3 刷

編集　　　一般社団法人日本書籍出版協会
　　　　　　　研修事業委員会
発行所　　一般社団法人日本書籍出版協会
　　　　　〒 101-0051
　　　　　東京都千代田区神田神保町 1-32
　　　　　TEL：03-6273-7061（代表）

©Japan Book Publishers Association, 2003,2008,2015,2021　　Printed in Japan
ISBN：978-4-89003-156-6